A-Z DE

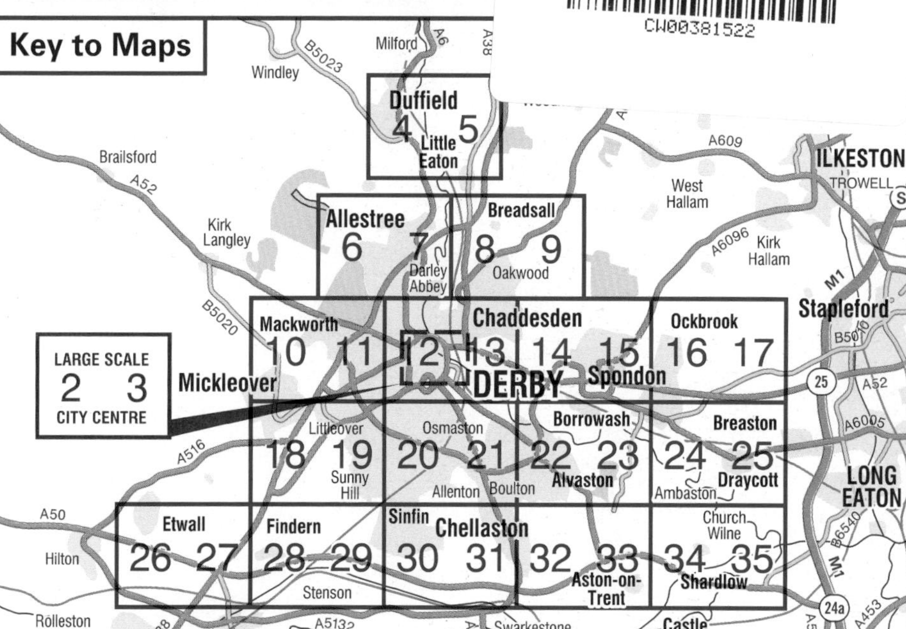

Key to Maps

Reference

A Road	A52
Under Construction	
B Road	B5020
Dual Carriageway	
One-way Street Traffic flow on A roads is indicated by a heavy line on the drivers left	➡
All one way streets are shown on Large Scale Pages 2 and 3	⇒
Restricted Access	
Pedestrianized Road	
Track & Footpath	- - - -
Residential Walkway	··········
Railway Level Crossing / Station	

Built-up Area	MILL ST.
Local Authority Boundary	— · — · —
Postcode Boundary	— — —
Map Continuation 10	Large Scale City Centre 3
Car Park Selected	P
Church or Chapel	†
Fire Station	■
Hospital	H
House Numbers A & B Roads Only	12 8
Information Centre	i
National Grid Reference	435

Police Station	▲
Post Office	★
Toilet with Facilities for the Disabled	▽ ♿
Educational Establishment	
Hospital or Hospice	
Industrial Building	
Leisure or Recreational Facility	
Place of Interest	
Public Building	
Shopping Centre or Market	
Other Selected Buildings	

Scale

Map Pages 4-35
1:15840 (4 inches to 1 mile) 6.31 cm to 1 km

0   ¼   ½ Mile
0   250   500   750 Metres

Map Pages 2-3
1:7920 (8 inches to 1 mile) 12.63cm to 1 km

0   ⅛   ¼ Mile
0   100   200   300   400 Metres

Geographers' A-Z Map Company Limited

Head Office :
Fairfield Road, Borough Green, Sevenoaks, Kent TN15 8PP
Tel: 01732 781000 (General Enquiries & Trade Sales)

Showrooms :
44 Gray's Inn Road, London WC1X 8HX
Tel: 020 7440 9500 (Retail Sales)

www.a-zmaps.co.uk

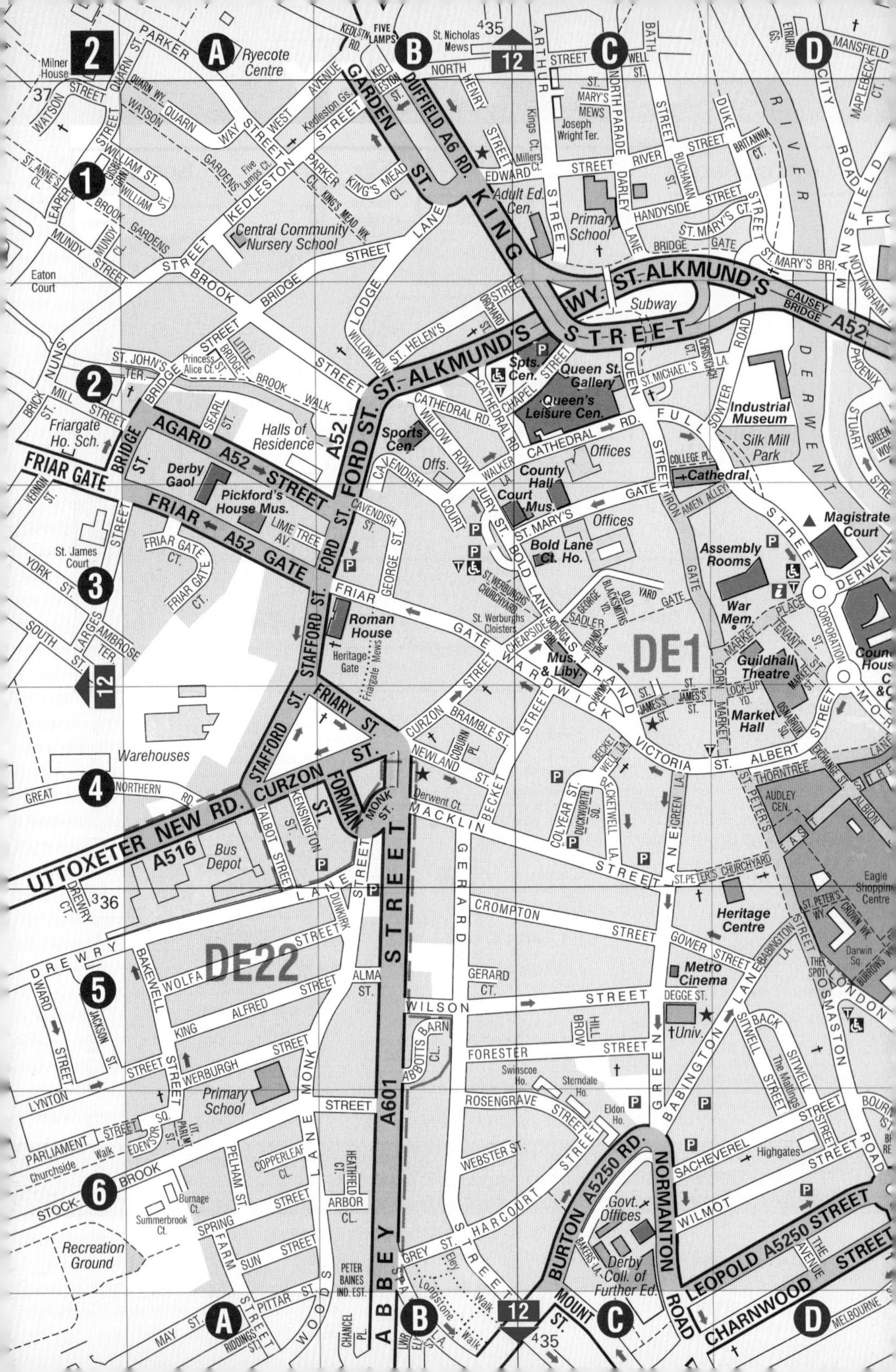

2
A
B
C
D
1
2
3
4
5
6
12
435
436
37
336
DE1
DE22
Ryecote Centre
Milner House
Five Lamps
St. Nicholas Mews
Kedleston Rd.
Parker St.
Quarn St.
Quarn Wy.
Quarn Way
Watson Street
West Avenue
Kedleston Gs.
Kedleston Street
William St.
Gisborne Cres.
St. Anne's Cl.
Leaper St.
Brook Gardens
Mundy St.
Mundy Cl.
Eaton Court
Five Lamps Ct.
Parker Cl.
King's Mead Cl.
King's Mead Wk.
Central Community Nursery School
Garden St.
Duffield A6 Rd.
North Street
Henry Street
Arthur Street
Kings Ct.
Millers Ct.
St. Mary's Mews
Joseph Wright Ter.
North Parade
Well St.
Bath Street
Duke Street
Britannia Ct.
Buchanan St.
River Street
Handyside Street
Darley Lane
Primary School
Adult Ed. Cen.
Edward St.
King Street
St. Mary's Ct.
Bridge Gate
St. Mary's Bri.
River Derwent
Mansfield Rd.
City Road
Etruria Gs.
Maplebeck Ct.
Nottingham Rd.
Causey Bridge A52
St. Alkmund's Wy.
Subway
Street
Brook Street
Bridge Street
Lodge Lane
Willow Row
Orchard St.
St. Helen's St.
Nuns' St.
Brick St.
St. John's Ter.
Princess Alice Ct.
Little Bridge St.
Brook Walk
Mill Street
Friargate Ho. Sch.
Friar Gate
Bridge St.
Agard A52 Street
Searl St.
Halls of Residence
A52
Ford St.
St. Alkmund's Way
Spts. Cen.
Chapel Street
Queen St. Gallery
Queen's Leisure Cen.
Queen Street
Christchurch Ct.
St. Michael's La.
Full Street
Sowter Road
Industrial Museum
Silk Mill Park
Phoenix St.
Stuart St.
Cathedral Rd.
Sports Cen.
Cavendish Court
Offs.
Walker La.
Cathedral Rd.
Offices
County Hall
Court Mus.
St. Mary's Gate
Jury St.
Iron Gate
College Pl.
Cathedral
Amen Alley
Magistrates Court
Derwent St.
Derby Gaol
Pickford's House Mus.
Friar A52 Gate
Lime Tree Av.
Cavendish St.
George St.
Vernon St.
St. James Court
York St.
Friar Gate Ct.
Offices
Bold Lane Ct. Ho.
Bold Lane
St. Werburgh's Churchyard
Assembly Rooms
Corporation St.
Friar Gate
Roman House
Heritage Gate
Friargate Mews
St. Werburghs Cloisters
Cheapside
Sadler Gate
Old Blacksmiths Yd.
Yard
St. George Yd.
Strand Arc.
Mus. & Liby.
Wardwick
The Strand
War Mem.
Market Place
Tenant St.
Guildhall Theatre
Council House
Market Hall
Lock-up Yd.
St. James's St.
Corn Market
Osmaston Sq.
South St.
Larges St.
Ambrose Ter.
Stafford St.
Friary St.
Curzon Street
Bramble St.
Coburn Pl.
Newland St.
Becket St.
Becket Well La.
Victoria St.
Albert St.
Exchange St.
Morledge
Thorntree La.
Audley Cen.
East St.
Albion St.
Warehouses
Great Northern Rd.
Uttoxeter New Rd.
Curzon St.
Forman St.
Monk St.
Kensington St.
Talbot Street
A516
Bus Depot
Derwent Ct.
Macklin Street
Gerard Street
Colyear St.
Duckworth Sq.
Becketwell La.
Green Lane
St. Peter's Churchyard
St. Peter's St.
Eagle Shopping Centre
St. Peter's Wy.
Cronin Wk.
Darwin Sq.
Burrows Wk.
Drewry Ct.
Drewry La.
Dunkirk
Wolfa Street
Bakewell Street
Crompton Street
Gower Street
Heritage Centre
Babington La.
The Spot
London Rd.
Metro Cinema
Degge St.
Univ.
Alma St.
Gerard Ct.
Wilson Street
Hill Brow
Ward Street
Jackson St.
King Alfred Street
Werburgh Street
Abbotts Barn Cl.
Forester Street
Babington Lane
Sitwell Street
Back Sitwell
The Maltings
Osmaston Road
Lynton Street
Primary School
Monk Street
Abbey Street
A601
Rosengrave Street
Swinscoe Ho.
Sterndale Ho.
Eldon Ho.
Parliament Street
Churchside Walk
Edensor Sq.
Lit. Parl Mt. St.
Webster St.
Burton A5250 Rd.
Normanton Road
Sacheverel Street
Highgates
Stockbrook Street
Pelham St.
Copperleaf Cl.
Heathfield Ct.
Arbor Cl.
Burnage Ct.
Summerbrook Ct.
Spring Street
Farm Street
Sun Street
Harcourt Street
Govt. Offices
Bakers La.
Derby Coll. of Further Ed.
Wilmot Street
Leopold A5250 Street
The Avenue
Bourne St.
Recreation Ground
Woods Lane
Peter Baines Ind. Est.
Grey St.
Spa La.
Eley Walk
Longstone Walk
May St.
Pittar St.
Riddings St.
Chancel Pl.
Lwr. Eley St.
Mount St.
Charnwood Street
Melbourne St.

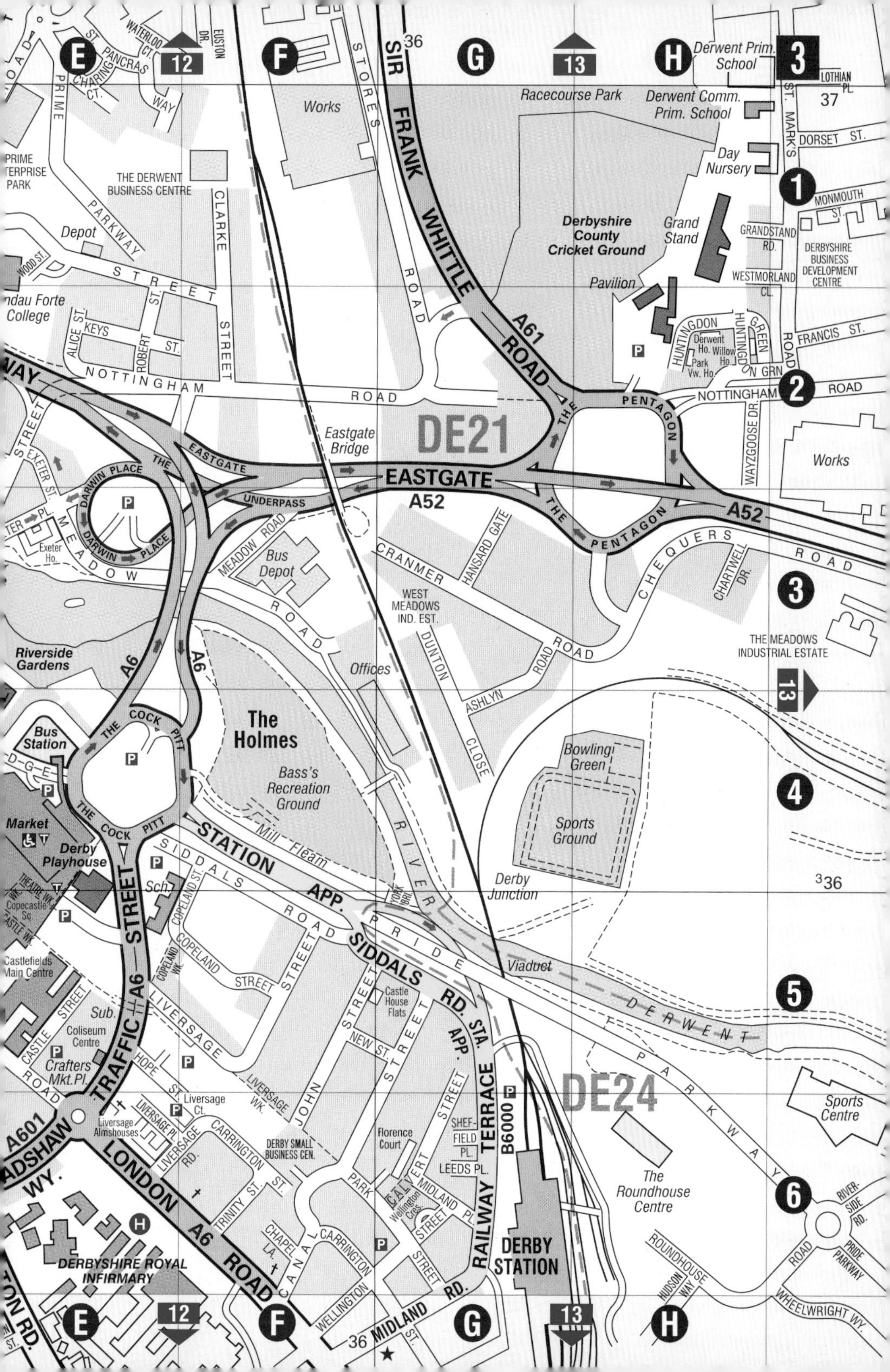

E
F
G
H
3
12
13
Derwent Prim. School
Racecourse Park
Derwent Comm. Prim. School
Day Nursery
Works
Derbyshire County Cricket Ground
Grand Stand
Pavilion
THE DERWENT BUSINESS CENTRE
PRIME ENTERPRISE PARK
Depot
Landau Forte College
SIR FRANK WHITTLE ROAD
A61
NOTTINGHAM ROAD
DE21
EASTGATE
A52
THE EASTGATE UNDERPASS
THE PENTAGON
Eastgate Bridge
DARWIN PLACE
Exeter Ho.
MEADOW ROAD
Bus Depot
CRANMER ROAD
HANSARD GATE
WEST MEADOWS IND. EST.
CHEQUERS ROAD
CHARTWELL DR.
THE MEADOWS INDUSTRIAL ESTATE
Riverside Gardens
A6
THE COCK PITT
The Holmes
Bass's Recreation Ground
Offices
DUNTON CLOSE
ASHLYN ROAD
Bowling Green
Sports Ground
Bus Station
Market
Derby Playhouse
STATION APP.
Mill Fleam
SIDDALS ROAD
Derby Junction
RIVER DERWENT
Viaduct
PRIDE PARKWAY
Castlefields Main Centre
Coliseum Centre
Crafters Mkt.Pl.
TRAFFIC STREET
LIVERSAGE STREET
Castle House Flats
SIDDALS RD.
STA. APP.
RAILWAY TERRACE
B6000
DE24
Sports Centre
The Roundhouse Centre
Liversage Almshouses
Liversage Ct.
DERBY SMALL BUSINESS CEN.
Florence Court
SHEFFIELD PL.
LEEDS PL.
MIDLAND PL.
Wellington Cres.
CALVERT STREET
LONDON ROAD
A6
A601
DERBYSHIRE ROYAL INFIRMARY
CARRINGTON ST.
TRINITY ST.
CHAPEL LA.
CANAL ST.
DERBY STATION
ROUNDHOUSE RD.
HUDSON WAY
WHEELWRIGHT WY.
RIVERSIDE RD.
MIDLAND RD.
WELLINGTON ST.
1
2
3
4
5
6
36
37

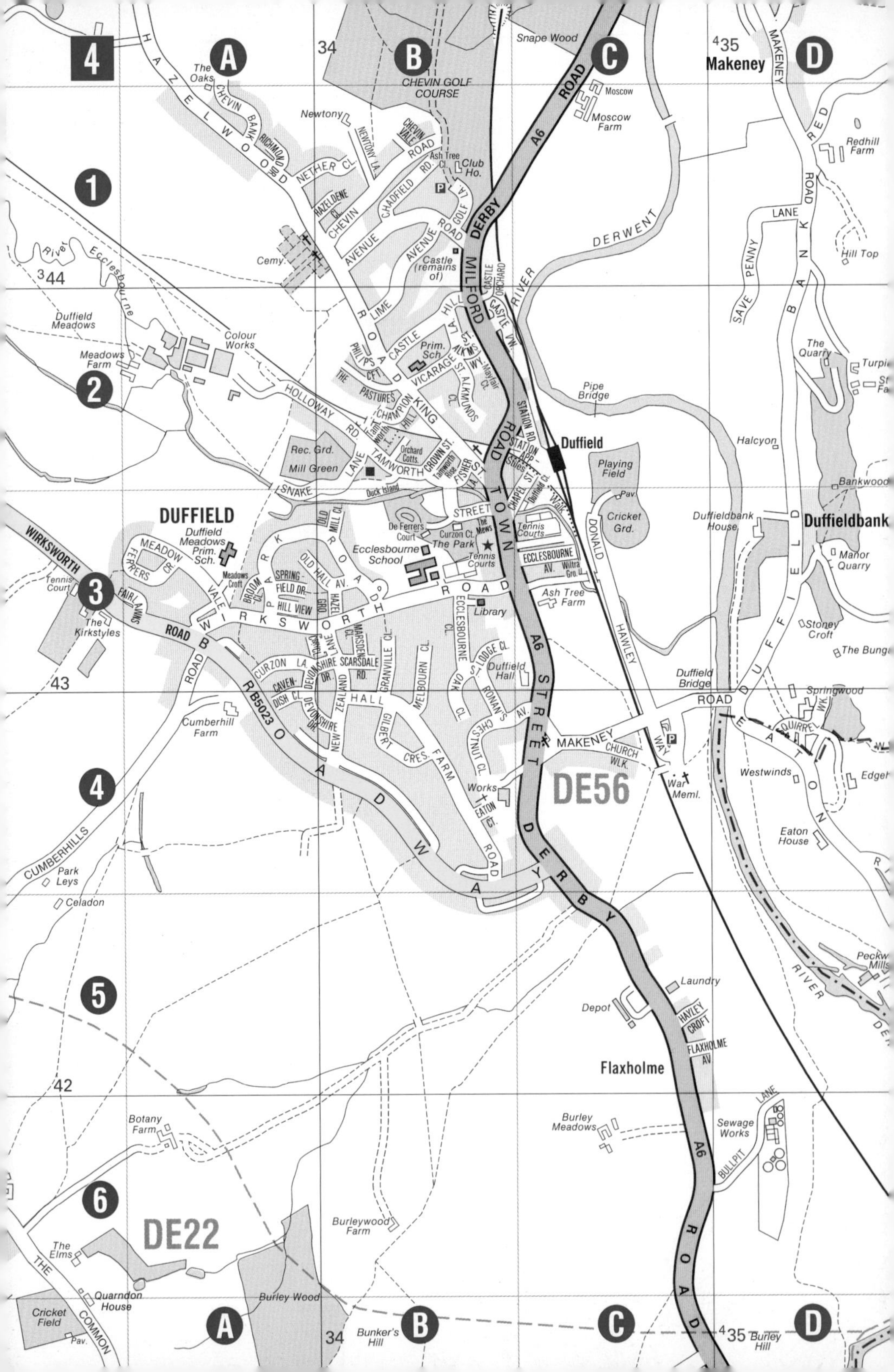

A
B
C
D
1
2
3
4
5
6
34
435
344
43
42
Makeney
Snape Wood
CHEVIN GOLF COURSE
Moscow
Moscow Farm
Redhill Farm
Newtony
The Oaks
HAZELWOOD ROAD
CHEVIN BANK
RICHMOND RD.
NETHER CL.
CHEVIN VALE
NEWTONY LA.
ROAD
Ash Tree Cl.
Club Ho.
CHADFIELD RD.
GOLF LA.
HAZELDENE CL.
CHEVIN AVENUE
AVENUE ROAD
DERBY ROAD
A6
MILFORD
Castle (remains of)
Cemy.
River Ecclesbourne
DERWENT
RIVER
PENNY LANE
SAVE PENNY LANE
BANK ROAD
Hill Top
Duffield Meadows
Meadows Farm
Colour Works
LIME
CASTLE HILL
CASTLE ORCHARD
CASTLE WK.
Prim. Sch.
PHILIPS CFT.
THE PASTURES
VICARAGE
ST. ALKMUND'S WY.
ST. ALKMUNDS CL.
Mayfair Cl.
Pipe Bridge
The Quarry
HOLLOWAY RD.
CHAMPION HILL
KING ST.
Tamworth
Orchard Cotts.
STATION RD.
STATION APP.
Stiles
Duffield
Halcyon
Rec. Grd.
Mill Green
LANE
TAMWORTH
CROWN ST.
Tamworth Rise
FISHER LA.
TOWN
Playing Field
Pav.
Bankwood
SNAKE
Duck Island
STREET
CHAPEL ST.
Duffield Cl.
Walk
Cricket Grd.
DONALD
Duffieldbank House
Duffieldbank
DUFFIELD
Duffield Meadows Prim. Sch.
WIRKSWORTH
MEADOW
FERRERS CR.
OLD MILL CL.
PARK ROAD
De Ferrers Court
Curzon Ct.
The Mews
The Park
Tennis Courts
Ecclesbourne School
ECCLESBOURNE AV.
Wiltra Gro.
Manor Quarry
Tennis Court
FAIRLAWNS
Meadows Croft
BROOM CL.
SPRING-FIELD DR.
HILL VIEW
OLD HALL AV.
HAZEL GRO.
ROAD
Ash Tree Farm
Library
HAWLEY
Stoney Croft
The Kirkstyles
VALE
WIRKSWORTH
ROAD
B
COPPICE
LANE
MARSDEN CL.
ECCLESBOURNE CL.
LODGE CL.
The Bungalow
CURZON LA.
DEVONSHIRE DR.
SCARSDALE RD.
GRANVILLE CL.
MELBOURN CL.
Duffield Hall
A6 STREET
Duffield Bridge
ROAD
DUFFIELD
Springwood
CAVENDISH CL.
HALL
ZEALAND
NEW
OAK CL.
ST. RONAN'S AV.
CHESTNUT CL.
SQUIRREL WK.
EATON
Cumberhill Farm
RB5023
OAD
DEVONSHIRE DR.
GILBERT CRES.
FARM
MAKENEY
CHURCH WLK.
WAY
War Meml.
Westwinds
Edgehill
DE56
Works
EATON CT.
ROAD
DERBY
CUMBERHILLS
Park Leys
Celadon
A D W A Y
Eaton House
Laundry
Depot
HAYLEY CROFT
FLAXHOLME AV.
RIVER
Peckwash Mills
Flaxholme
Botany Farm
Burley Meadows
Sewage Works
LANE
BULLPIT
DE22
Burleywood Farm
The Elms
Quarndon House
Burley Wood
THE COMMON
Cricket Field
Pav.
Bunker's Hill
Burley Hill

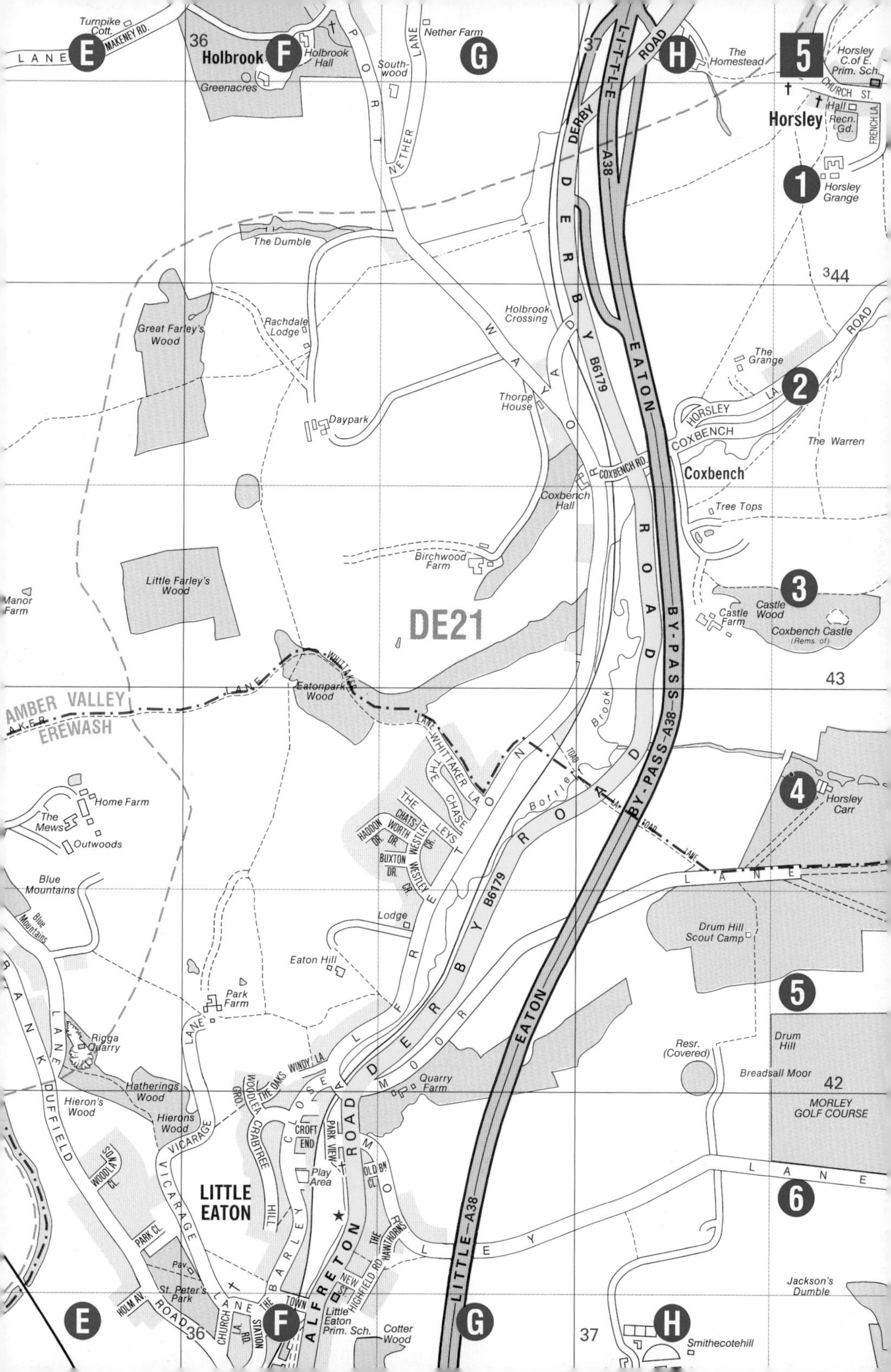

Turnpike Cott.
MAKENEY RD.
LANE
E
36
Holbrook
F
Holbrook Hall
Greenacres
PORT
NETHER LANE
Nether Farm
Southwood
G
37
LITTLE EATON
DERBY ROAD
H
The Homestead
5
Horsley C.of E. Prim. Sch.
CHURCH ST.
Hall
Horsley
Recn. Gd.
FRENCH LA.
1
Horsley Grange
The Dumble
344
Holbrook Crossing
Great Farley's Wood
Rachdale Lodge
WAY
A38
B6179
ROAD
The Grange
2
HORSLEY LA.
COXBENCH
Thorpe House
Daypark
The Warren
COXBENCH RD.
Coxbench
Coxbench Hall
Tree Tops
Birchwood Farm
3
Castle Wood
Castle Farm
Coxbench Castle (Rems. of)
Little Farley's Wood
Manor Farm
DE21
BY-PASS
43
AMBER VALLEY
EREWASH
WHITTAKER LANE
Eatonpark Wood
Brook
Bottle
Brook
THE CHASE
4
Horsley Carr
Home Farm
The Mews
Outwoods
THE LEYS
HADDON DR.
CHATSWORTH DR.
WESTLEY CR.
BUXTON DR.
Blue Mountains
LANE
Lodge
Drum Hill Scout Camp
Eaton Hill
5
Park Farm
Drum Hill
Rigga Quarry
Resr. (Covered)
Breadsall Moor
Quarry Farm
42
Hatherings Wood
Hieron's Wood
Hierons Wood
VICARAGE
WINDY LA.
THE OAKS
GRO.
WOODLEA
CRABTREE HILL
CLOSE
BARLEY
CROFT END
PARK VIEW
MORLEY GOLF COURSE
OLD BM CL.
WOODLANDS CL.
Play Area
DUFFIELD
BANK
LITTLE EATON
LITTLE A38
6
MORLEY
PARK CL.
THE HAWTHORNS
HIGHFIELD RD
NEW ST.
Pav.
St. Peter's Park
Jackson's Dumble
ALFRETON ROAD
HOLM AV.
E
CHURCH LA.
STATION RD.
THE TOWN
F
Little Eaton Prim. Sch.
Cotter Wood
G
37
H
Smithecotehill
36

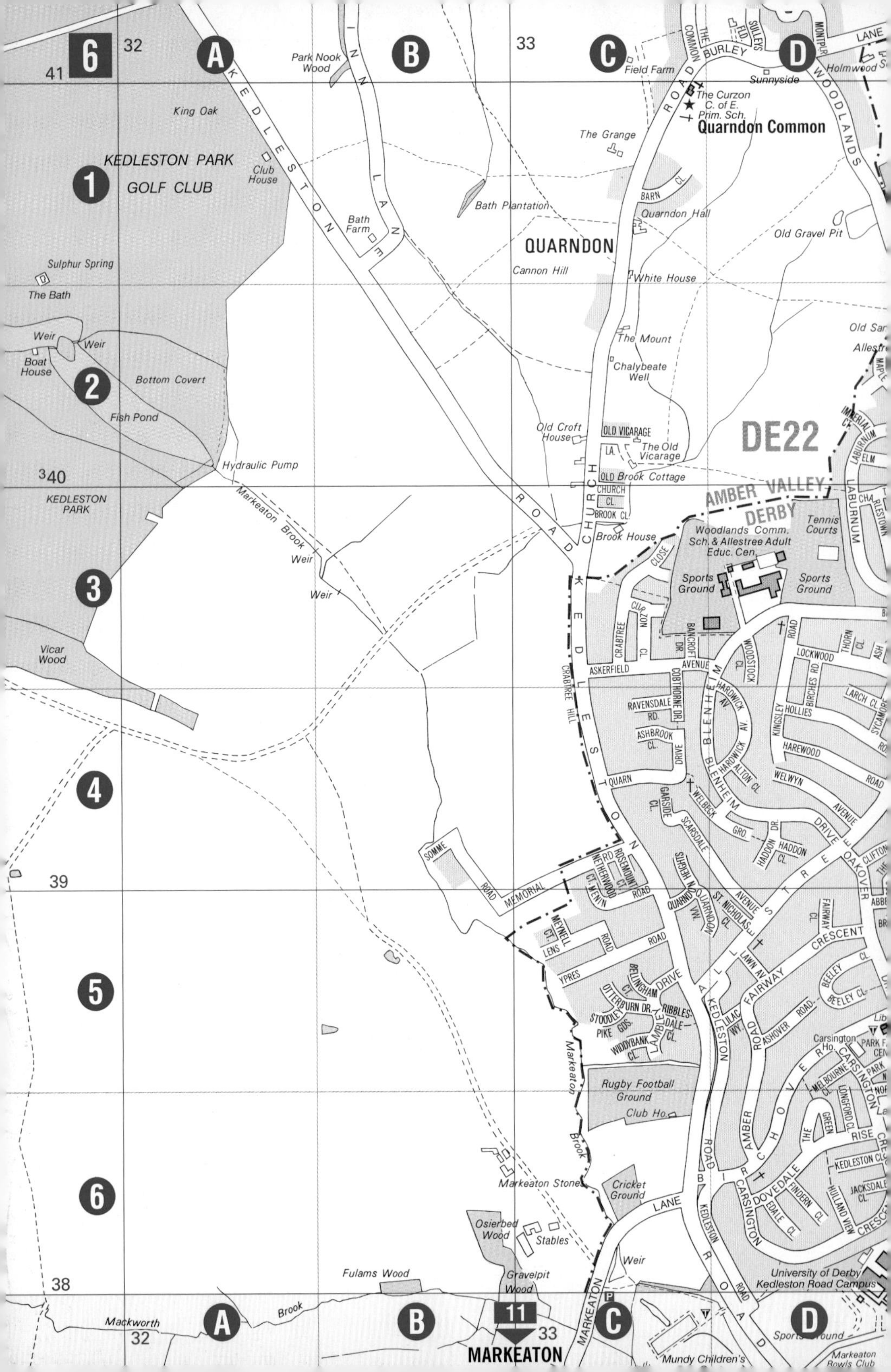
KEDLESTON PARK
GOLF CLUB
King Oak
Club House
Sulphur Spring
The Bath
Weir
Weir
Boat House
Bottom Covert
Fish Pond
Hydraulic Pump
KEDLESTON PARK
Vicar Wood
Markeaton Brook
Weir
Weir
Park Nook Wood
Bath Farm
Bath Plantation
INN LANE
KEDLESTON ROAD
Field Farm
The Curzon C. of E. Prim. Sch.
Quarndon Common
The Grange
BARN CL.
Quarndon Hall
QUARNDON
Cannon Hill
White House
The Mount
Chalybeate Well
Old Croft House
OLD VICARAGE LA.
The Old Vicarage
OLD Brook Cottage
CHURCH CL.
BROOK CL.
Brook House
CHURCH ROAD
BURLEY LANE
THE COMMON
SULLEYS FLD.
Sunnyside
WOODLANDS LANE
Holmwood
Old Gravel Pit
Old Sand
Allestree
DE22
AMBER VALLEY
DERBY
Woodlands Comm. Sch. & Allestree Adult Educ. Cen.
Sports Ground
Sports Ground
Tennis Courts
LABURNUM
ELM
IMPERIAL CT.
CHARLESTOWN
CLOSE
CURZON CL.
CRABTREE CL.
BANCROFT DR.
ASKERFIELD AVENUE
WOODSTOCK CL.
LOCKWOOD
THORN CL.
LARCH CL.
SYCAMORE
HOLLIES
BIRCHES RD.
KINGSLEY ROAD
HAREWOOD
WELWYN ROAD
CRABTREE HILL
COBTHORNE DR.
RAVENSDALE RD.
ASHBROOK CL.
DRIVE
HARDWICK AV.
BLENHEIM
ALTON CL.
QUARN
GARSIDE CL.
WELBECK GRO.
SCARSDALE AVENUE
HADDON DR.
HADDON CL.
DRIVE
AVENUE
OAKOVER
CLIFTON
ALLESTREE
SOMME ROAD
MEMORIAL ROAD
NETHERWOOD CT.
ROSEMOUNT CT.
MENIN
QUARNDON HEIGHTS
QUARNDON VW.
ST. NICHOLAS CL.
MEYNELL CT.
LENS ROAD
YPRES ROAD
FAIRWAY CL.
FAIRWAY CRESCENT
LAWN AV.
BEELEY CL.
BELLINGHAM CT.
DRIVE
OTTERBURN DR.
STOODLEY PIKE GDS.
RIBBLESDALE CL.
LAMBLEY
WIDDYBANK CL.
LILAC WY.
KEDLESTON
ASHOVER ROAD
ROAD
Carsington Ho.
PARK
CARSINGTON
MELBOURNE CL.
LONGFORD CL.
Markeaton Brook
Rugby Football Ground
Club Ho.
AMBER
THE GREEN
RISE
CHOVER
KEDLESTON CL.
JACKSDALE CL.
Markeaton Stone
Cricket Ground
LANE
BIRCHOVER
CARSINGTON
DOVEDALE
FINDERN CL.
EDALE CL.
HULLAND VIEW
CRESCENT
KEDLESTON ROAD
Osierbed Wood
Stables
Weir
Gravelpit Wood
Fulams Wood
University of Derby Kedleston Road Campus
Mackworth
Brook
MARKEATON
Mundy Children's
Sports Ground
Markeaton Bowls Club
32
33
41
340
39
38
A
B
C
D
1
2
3
4
5
6
11
MARKEATON

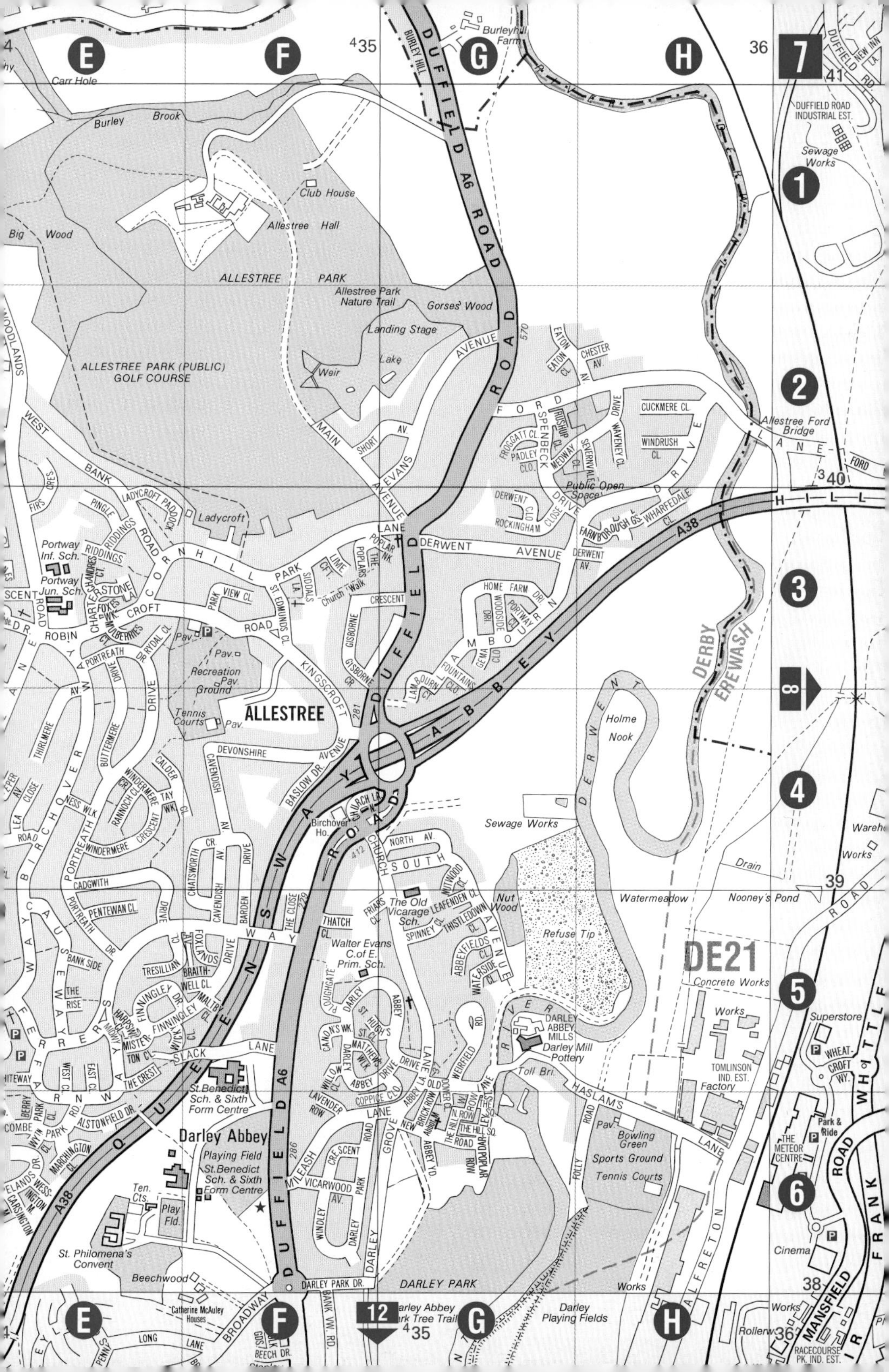
7
E
F
G
H
435
36
Carr Hole
Burley Brook
Burleyhill Farm
Big Wood
Club House
Allestree Hall
ALLESTREE PARK
Allestree Park Nature Trail
Gorses' Wood
Landing Stage
Lake
Weir
ALLESTREE PARK (PUBLIC) GOLF COURSE
DUFFIELD ROAD A6
DUFFIELD ROAD INDUSTRIAL EST.
Sewage Works
Allestree Ford Bridge
FORD LANE
HILL
A38
Portway Inf. Sch.
Portway Jun. Sch.
Ladycroft
Public Open Space
DERWENT AVENUE
CORNHILL
PARK
ROBIN
CROFT
ROAD
Recreation Ground
Tennis Courts
Pav.
ALLESTREE
Church Walk
DERBY
EREWASH
Holme Nook
DERWENT
Sewage Works
Birchover Ho.
8
Drain
Warehouse
Works
Watermeadow
Nooney's Pond
Nut Wood
Refuse Tip
The Old Vicarage Sch.
Walter Evans C.of E. Prim. Sch.
DE21
Concrete Works
Works
Superstore
DARLEY ABBEY MILLS
Darley Mill Pottery
Toll Bri.
TOMLINSON IND. EST.
Factory
St.Benedict Sch. & Sixth Form Centre
Darley Abbey
Playing Field
Bowling Green
Sports Ground
Tennis Courts
THE METEOR CENTRE
Park & Ride
Cinema
St. Philomena's Convent
Beechwood
Play Fld.
DARLEY PARK
Catherine McAuley Houses
Darley Abbey Park Tree Trail
Darley Playing Fields
Works
12
Rollerworld
RACECOURSE PK. IND. EST.
QUEENS WAY
ABBEY
MANSFIELD ROAD
WHITTLE
FRANK
ALFRETON
HASLAM'S LANE
SLACK LANE
BROADWAY
LONG LANE
DARLEY PARK DR.
1
2
3
4
5
6
39
40
41
38
36

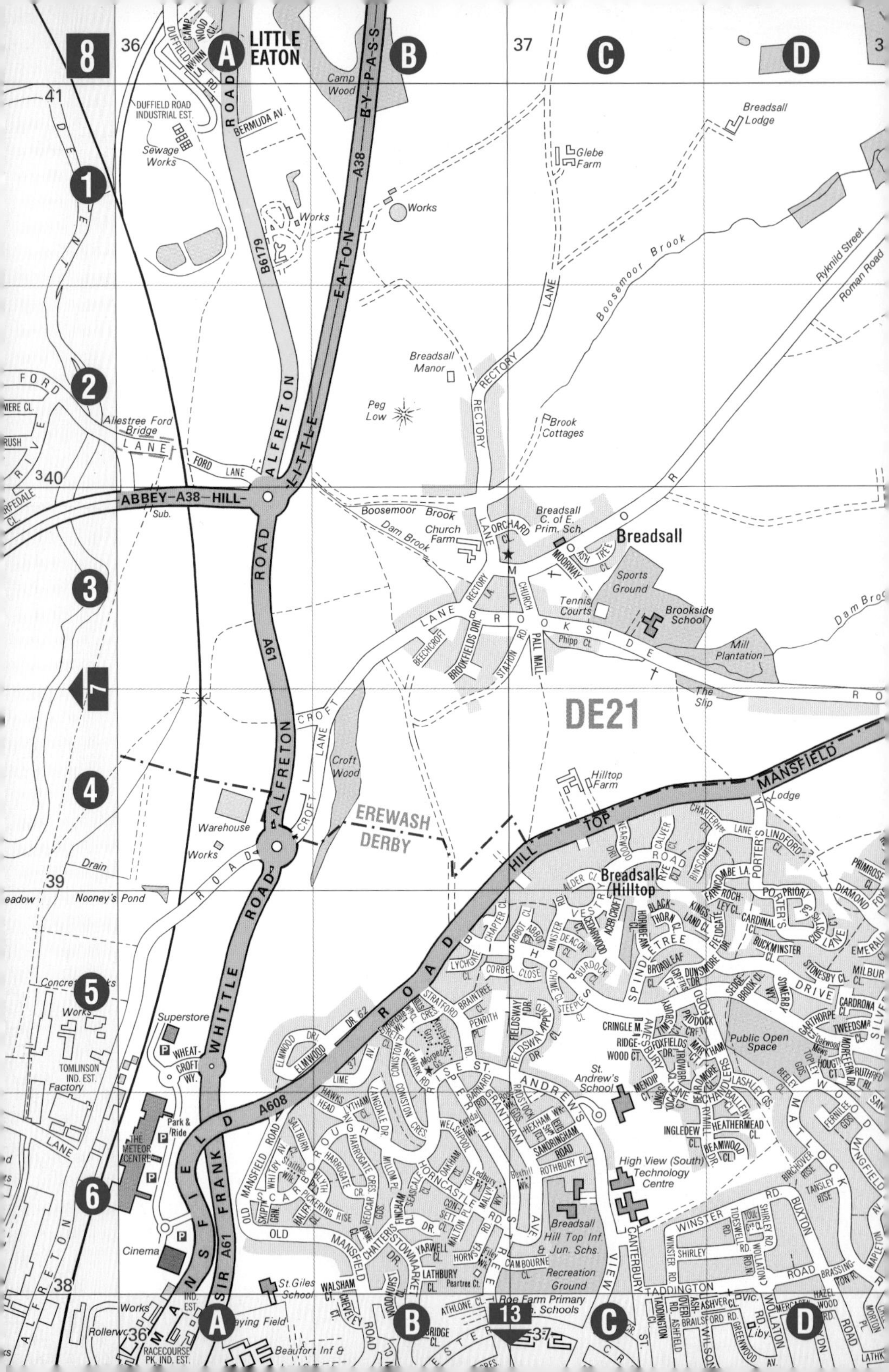
LITTLE EATON
Camp Wood
DUFFIELD ROAD INDUSTRIAL EST.
Sewage Works
BERMUDA AV.
Works
Breadsall Lodge
Glebe Farm
Boosemoor Brook
Rykneld Street
Roman Road
Breadsall Manor
Peg Low
Brook Cottages
Allestree Ford Bridge
ABBEY–A38–HILL
ALFRETON ROAD
LITTLE EATON BY-PASS
Boosemoor Brook
Dam Brook
Church Farm
Breadsall C. of E. Prim. Sch.
Breadsall
Sports Ground
Tennis Courts
Brookside School
Mill Plantation
The Slip
DE21
Croft Wood
EREWASH
DERBY
Hilltop Farm
Warehouse
Works
Nooney's Pond
MANSFIELD ROAD
HILL TOP
Breadsall Hilltop
WHITTLE ROAD
Concrete Works
Superstore
TOMLINSON IND. EST.
Factory
THE METEOR CENTRE
Park & Ride
Cinema
St. Andrew's School
Public Open Space
High View (South) Technology Centre
Breadsall Hill Top Inf. & Jun. Schs.
Recreation Ground
St.Giles School
Roe Farm Primary Schools
Beaufort Inf &
RACECOURSE PK. IND. EST.
Lodge

7

13

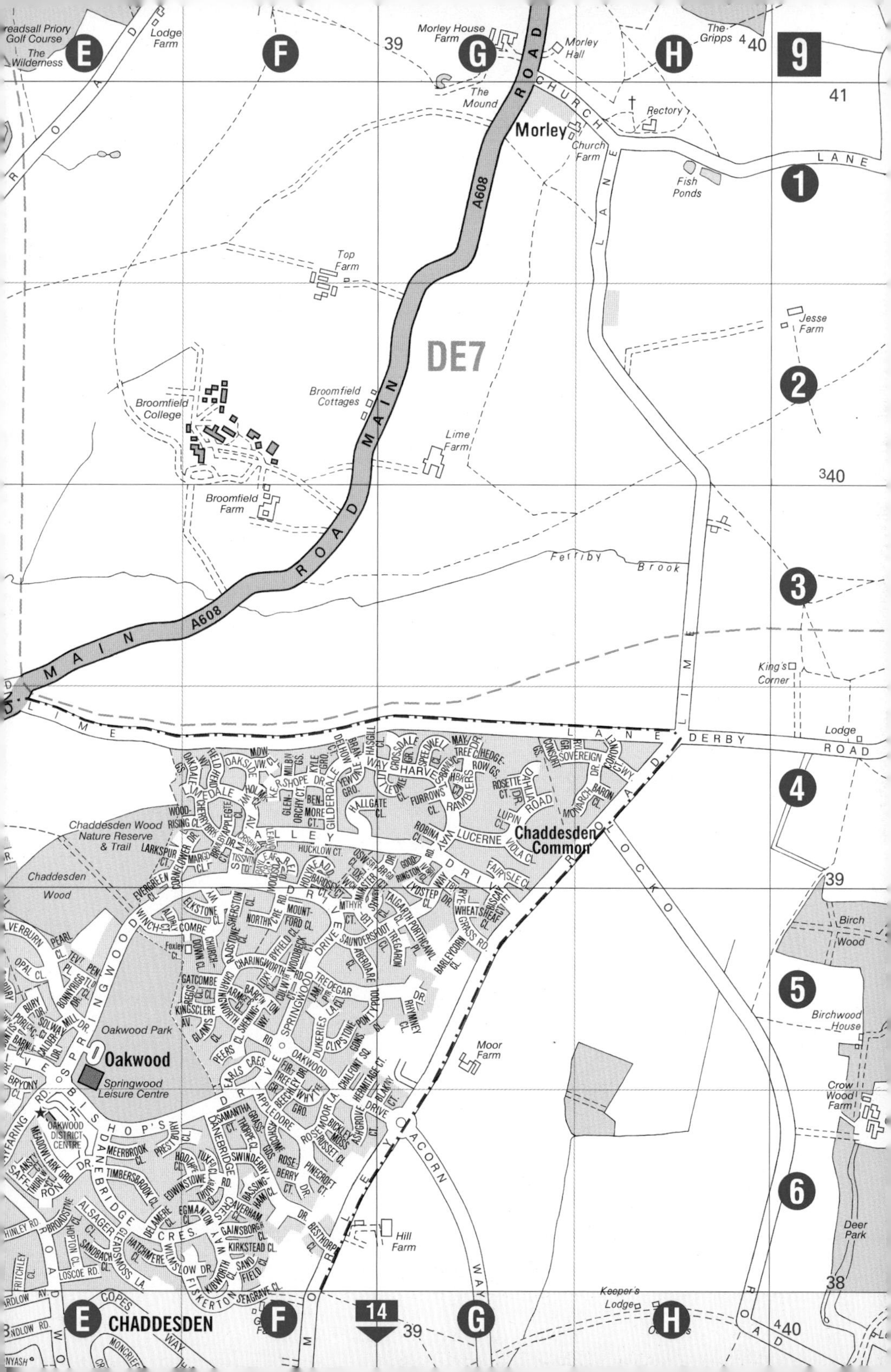

9
DE7
Morley
Morley House Farm
Morley Hall
The Mound
Lodge Farm
The Gripps
Rectory
Church Farm
Church Lane
Fish Ponds
Main Road A608
Top Farm
Jesse Farm
Broomfield College
Broomfield Cottages
Broomfield Farm
Lime Farm
Ferriby Brook
Lime Lane
King's Corner
Derby Road
Lodge
Chaddesden Common
Chaddesden Wood Nature Reserve & Trail
Chaddesden Wood
Birch Wood
Birchwood House
Moor Farm
Crow Wood Farm
Deer Park
Hill Farm
Keeper's Lodge
Oakwood
Oakwood Park
Springwood Leisure Centre
Oakwood District Centre
Acorn Way
Locko Road
Bishop's Drive
Springwood Drive
Oakwood Drive
Lucerne Way
Valley Drive
Danebridge Cres.
CHADDESDEN
14

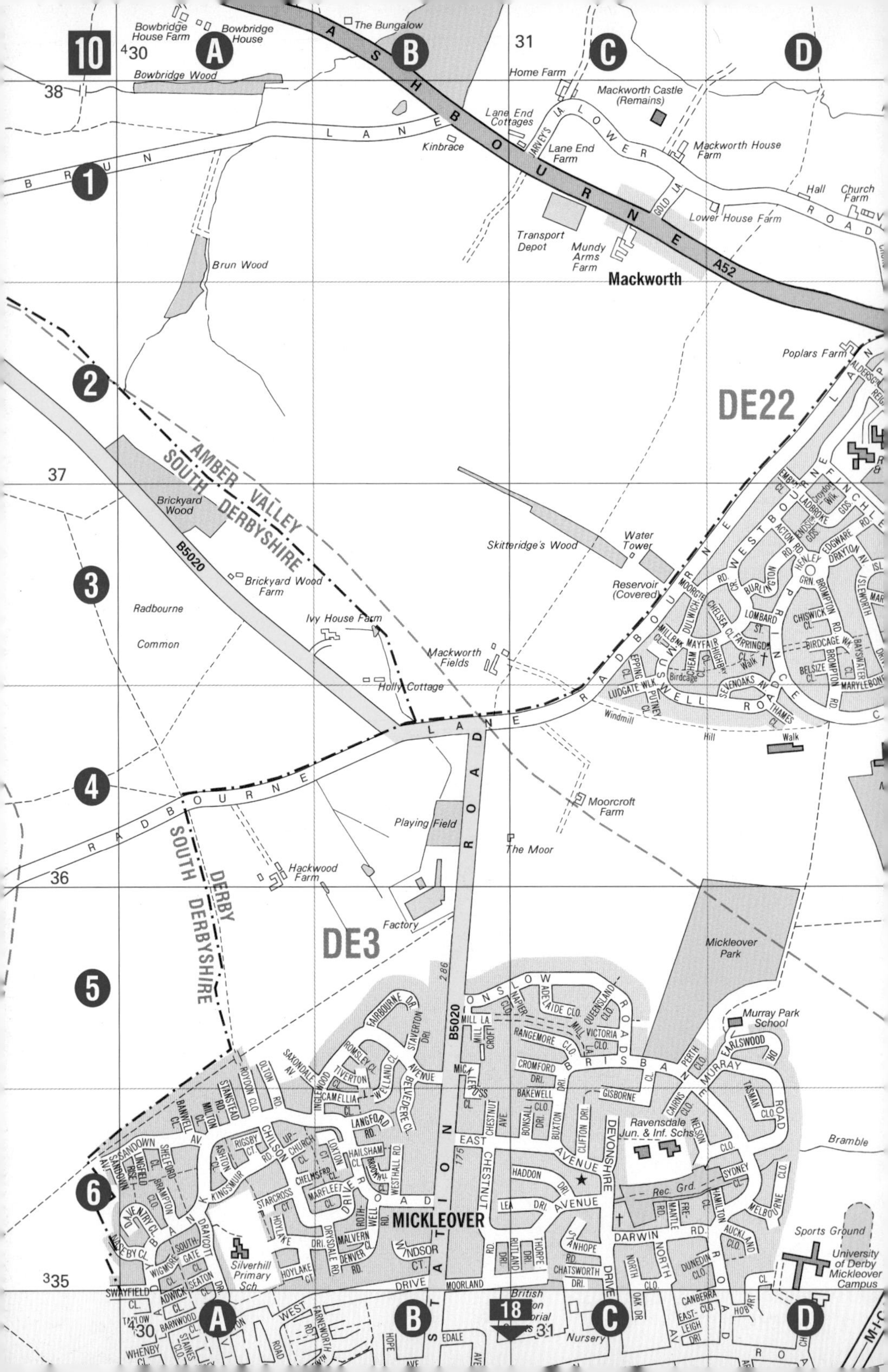

10
Bowbridge House Farm
Bowbridge House
Bowbridge Wood
The Bungalow
Home Farm
Mackworth Castle (Remains)
Lane End Cottages
Kinbrace
Lane End Farm
Mackworth House Farm
Hall
Church Farm
Lower House Farm
Transport Depot
Mundy Arms Farm
Mackworth
A52
BRUN LANE
ASHBOURNE
LOWER ROAD
Brun Wood
Poplars Farm
DE22
AMBER VALLEY
SOUTH DERBYSHIRE
Brickyard Wood
B5020
Brickyard Wood Farm
Radbourne
Common
Ivy House Farm
Holly Cottage
Skitteridge's Wood
Water Tower
Reservoir (Covered)
Mackworth Fields
Windmill
Hill
Walk
RADBOURNE LANE
STATION ROAD
Playing Field
Moorcroft Farm
The Moor
Hackwood Farm
Factory
DE3
DERBY
SOUTH DERBYSHIRE
Mickleover Park
Murray Park School
Ravensdale Jun. & Inf. Schs
Rec. Grd.
Bramble
Sports Ground
University of Derby Mickleover Campus
MICKLEOVER
Silverhill Primary Sch
Nursery
British
18

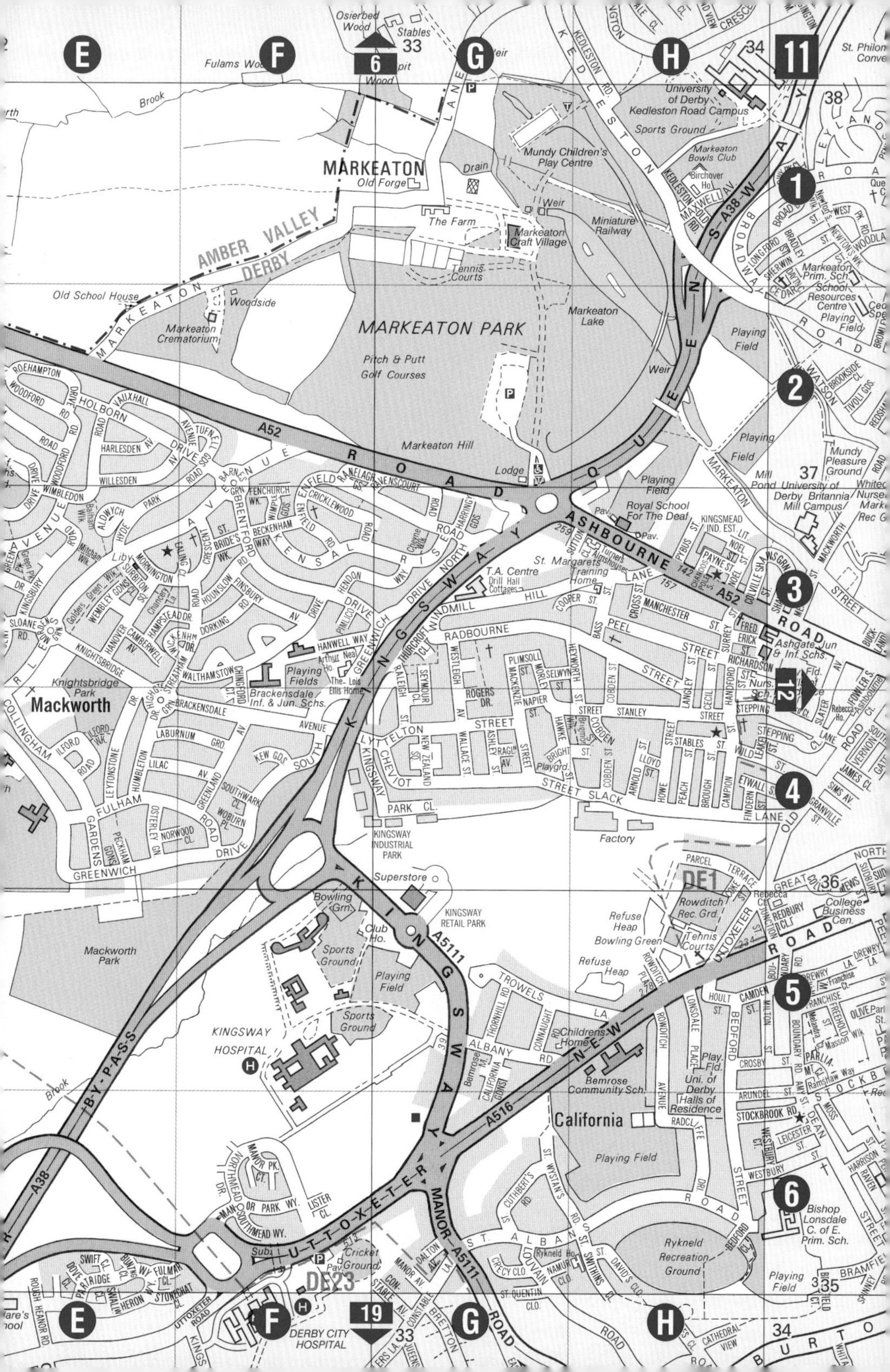

11
MARKEATON
Old Forge
The Farm
Markeaton Craft Village
Tennis Courts
Old School House
Woodside
Markeaton Crematorium
MARKEATON PARK
Pitch & Putt Golf Courses
Markeaton Hill
Lodge
Mundy Children's Play Centre
Miniature Railway
Markeaton Lake
University of Derby Kedleston Road Campus
Sports Ground
Markeaton Bowls Club
Birchover Ho.
AMBER VALLEY
DERBY
Fulams Wood
Osierbed Wood
Stables
Brook
Drain
Weir
A52
ASHBOURNE ROAD
QUEENS-A38-WAY
KINGSWAY
A5111
A516
UTTOXETER NEW ROAD
BY-PASS
A38
Royal School For The Deaf
Playing Field
T.A. Centre
Drill Hall Cottages
St. Margarets Training Home
Turners Almshouses
KINGSMEAD IND. EST.
Ashgate Jun & Inf. Schs.
Markeaton Prim. Sch.
School Resources Centre
Mundy Pleasure Ground
Mill Pond
University of Derby Britannia Mill Campus
Mackworth
Knightsbridge Park
Brackensdale Inf. & Jun. Schs.
Playing Fields
Hanwell Way
Factory
KINGSWAY INDUSTRIAL PARK
Superstore
KINGSWAY RETAIL PARK
Bowling Grn.
Club Ho.
Sports Ground
Playing Field
Mackworth Park
KINGSWAY HOSPITAL
DE1
Rowditch Rec. Grd.
Tennis Courts
Refuse Heap
Bowling Green
Childrens Home
Bemrose Community Sch.
California
Playing Field
Uni. of Derby Halls of Residence
College Business Cen.
Bishop Lonsdale C. of E. Prim. Sch.
Rykneld Recreation Ground
Cricket Ground
DE23
DERBY CITY HOSPITAL
MANOR ROAD
BURTON ROAD
STOCKBROOK RD.
MACKWORTH
RADBOURNE STREET
PEEL STREET
STANLEY STREET
SLACK LANE
WINDMILL HILL LANE
GREENWICH DRIVE
BRACKENSDALE AVENUE
TROWELS LA.
ALBANY RD.
WESTBURY ST.
ST. ALBANS RD.
E F G H
6
12
19
33 34 35 36 37 38
1 2 3 4 5 6

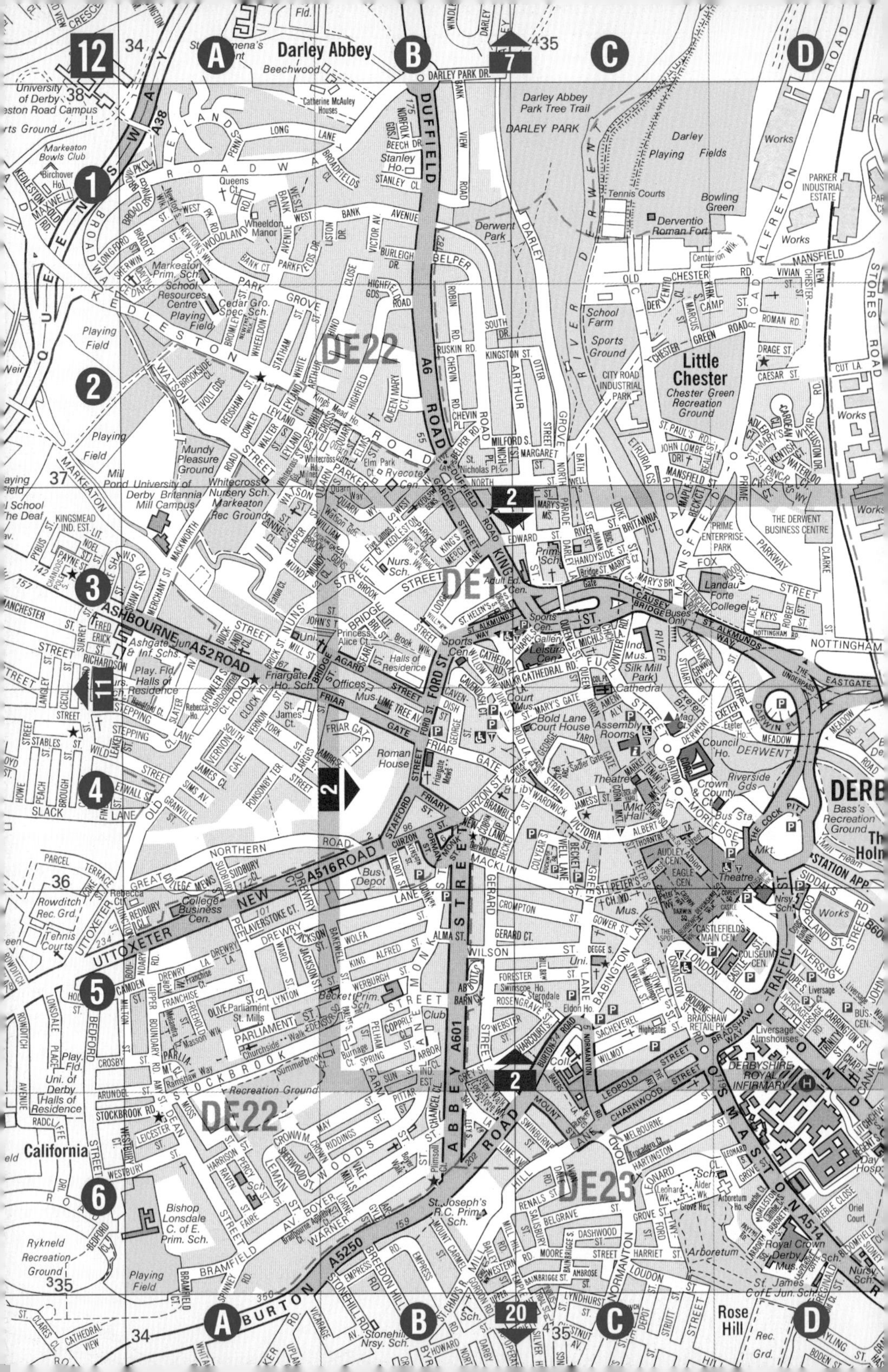
12
34
A
B
C
D
7
435
Darley Abbey
Beechwood
DARLEY PARK DR.
Catherine McAuley Houses
University of Derby
38
Markeaton Bowls Club
Birchover Ho.
DUFFIELD ROAD
A6
Darley Abbey Park Tree Trail
DARLEY PARK
Darley Playing Fields
Tennis Courts
Bowling Green
Derventio Roman Fort
Derwent Park
RIVER DERWENT
WORKS
PARKER INDUSTRIAL ESTATE
Works
ALFRETON ROAD
MANSFIELD RD.
STORES ROAD
Queens Ct.
Wheeldon Manor
LONG LANE
ROADWAY
STANLEY CL.
Stanley Ho.
WEST BANK AVENUE
BELPER RD.
1
2
3
4
5
6
QUEENS WAY
A38
KEDLESTON ROAD
Markeaton Prim. Sch.
School Resources Centre
Cedar Gro. Spec. Sch.
Playing Field
Playing Field
DE22
Weir
OLD CHESTER RD.
Centurion Wlk.
School Farm
Sports Ground
CITY ROAD INDUSTRIAL PARK
Little Chester
Chester Green Recreation Ground
GREEN ROAD
CAESAR ST.
CUT LA.
Mundy Pleasure Ground
Mill Pond
University of Derby Britannia Mill Campus
Whitecross Nursery Sch.
Markeaton Rec Ground
Elm Park Ct.
Ryecote Cen.
St. Nicholas Pl.
MARKEATON
37
KINGSMEAD IND. EST.
ASHBOURNE ROAD
A52
2
EDWARD ST.
DE1
MANSFIELD ST.
PRIME ENTERPRISE PARK
THE DERWENT BUSINESS CENTRE
Landau Forte College
CAUSEY BRIDGE
ST. ALKMUND'S WAY
NOTTINGHAM RD.
Buses Only
Sports Cen.
Leisure Cen.
Cathedral
Ind. Mus.
Silk Mill Park
Council Ho.
EASTGATE
THE UNDERPASS
DARWIN PL.
MEADOW
DERWENT
11
Ashgate Jun. & Inf. Schs.
Play. Fld.
Halls of Residence
Friargate Ho. Sch.
FRIAR GATE
Offices
Mus.
Halls of Residence
Princess Alice Ct.
FORD ST.
CATHEDRAL RD.
Bold Lane Court House
Assembly Rooms
Riverside Gds.
Crown & County Ct.
Bus Sta.
DERBY
Bass's Recreation Ground
Roman House
Theatre
Mkt. Hall
VICTORIA
MORLEDGE
THE COCK PITT
STATION APP.
Mus. & Liby.
NORTHERN
A516 ROAD
Bus Depot
STAFFORD ST.
36
Rowditch Rec. Grd.
Tennis Courts
College Business Cen.
UTTOXETER NEW ROAD
MACKLIN ST.
AUDLEY CEN.
EAGLE CEN.
Theatre
Nrsy. Sch.
Works
CASTLEFIELDS MAIN CEN.
COLISEUM CEN.
LONDON RD.
Liversage Almshouses
TRAFFIC
Parliament St. Mills
Becket Prim. Sch.
Club
STOCKBROOK
Recreation Ground
ABBEY STREET
A601
2
NORMANTON ROAD
LEOPOLD STREET
CHARNWOOD ST.
BRADSHAW WAY
DERBYSHIRE ROYAL INFIRMARY
Play. Fld.
Uni. of Derby Halls of Residence
DE22
California
BURTON ROAD
MELBOURNE
DE23
Arboretum Ho.
Arboretum
OSMASTON RD.
A514
Oriel Court
Royal Crown Derby Mus.
Bishop Lonsdale C. of E. Prim. Sch.
Rykneld Recreation Ground
Playing Field
St. Joseph's R.C. Prim. Sch.
335
A5250
BURTON
34
20
435
Rose Hill
Rec. Grd.
St. James C of E Jun. Sch.
Stonehill Nrsy. Sch.

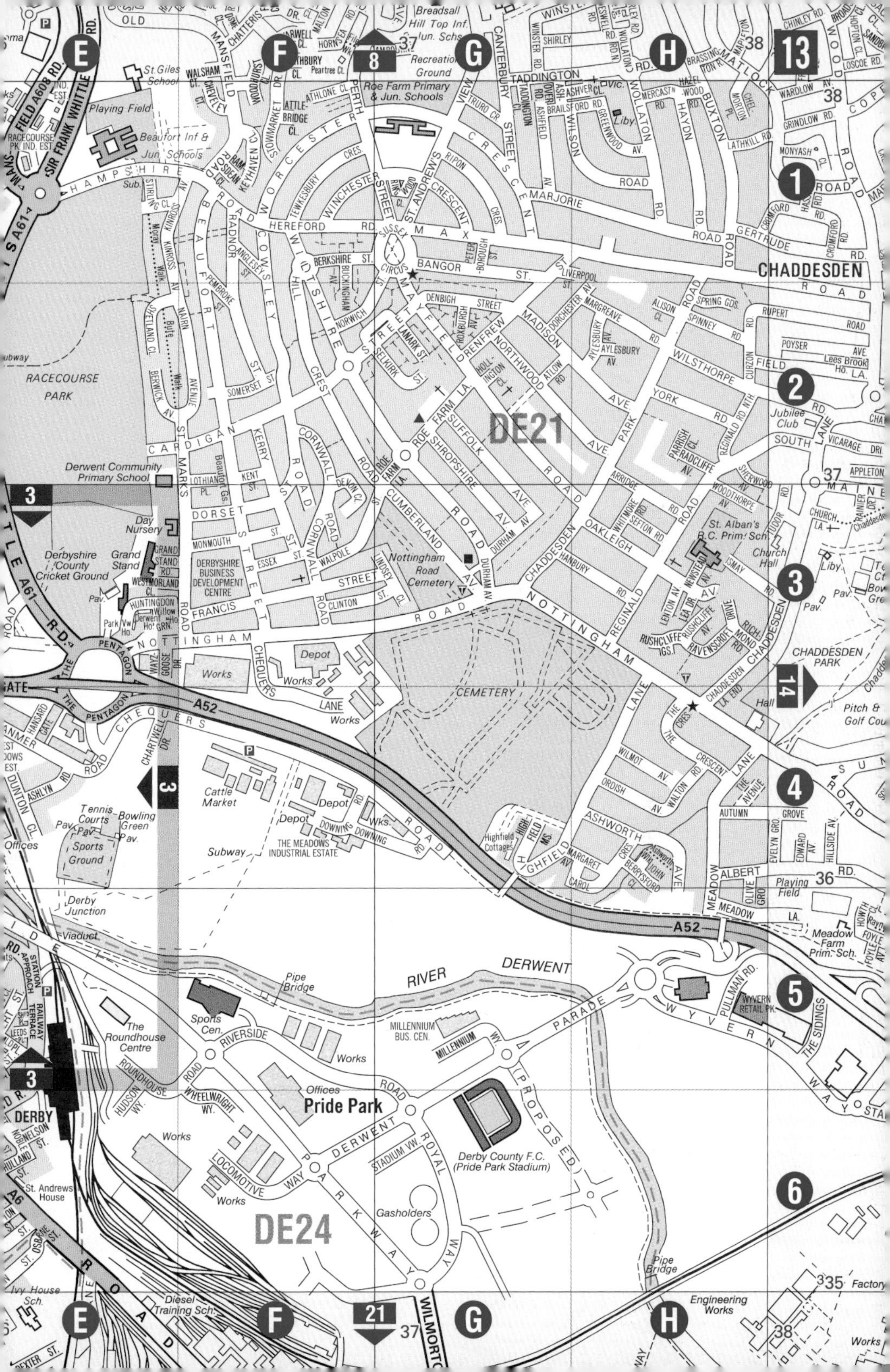
E
F
G
H
8
37
38
1
2
3
4
5
6
14
21
36
35
CHADDESDEN
DE21
DE24
Breadsall Hill Top Inf. Jun. Schs
Recreation Ground
Roe Farm Primary & Jun. Schools
St. Giles School
Playing Field
Beaufort Inf & Jun. Schools
RACECOURSE PK. IND. EST.
SIR FRANK WHITTLE RD.
HAMPSHIRE ROAD
WORCESTER CRES.
CANTERBURY STREET
VIEW
CRESCENT
MARJORIE ROAD
MAX ROAD
GERTRUDE RD.
HEREFORD RD.
SUSSEX CIRCUS
BANGOR ST.
BERKSHIRE ST.
LIVERPOOL ST.
WILTSHIRE
MAYFIELD
RACECOURSE PARK
Subway
CARDIGAN
DORSET
STREET
ST. MARKS
KERRY
CORNWALL ROAD
ROE FARM LA.
SUFFOLK
SHROPSHIRE
CUMBERLAND ROAD
NORTHWOOD
MADISON AVE
ALISON CL.
SPRING GDS.
SPINNEY RD.
WILSTHORPE
YORK RD.
PARK
Jubilee Club
SOUTH LANE
VICARAGE
APPLETON
Derwent Community Primary School
Day Nursery
Derbyshire County Cricket Ground
Grand Stand
DERBYSHIRE BUSINESS DEVELOPMENT CENTRE
FRANCIS
Nottingham Road Cemetery
NOTTINGHAM ROAD
CHADDESDEN
OAKLEIGH
REGINALD RD.
St. Alban's R.C. Prim. Sch.
Church Hall
Liby.
Pav.
CHADDESDEN PARK
Pitch & Golf Cou
Hall
CEMETERY
Depot
Works
THE PENTAGON
A52
A61
CHEQUERS ROAD
CHEQUERS LANE
Cattle Market
Tennis Courts
Bowling Green
Sports Ground
Offices
THE MEADOWS INDUSTRIAL ESTATE
Derby Junction
Viaduct
RIVER DERWENT
Pipe Bridge
Sports Cen.
The Roundhouse Centre
RIVERSIDE ROAD
MILLENNIUM BUS. CEN.
MILLENNIUM WY.
PARADE
WYVERN WAY
WYVERN RETAIL PK.
THE SIDINGS
PULLMAN RD.
Meadow Farm Prim. Sch.
Playing Field
ALBERT RD.
MEADOW LA.
AUTUMN GROVE
ASHWORTH AVE
Highfield Cottages
Pride Park
DERWENT WAY
ROYAL WAY
PARKWAY
Derby County F.C. (Pride Park Stadium)
(PROPOSED)
Gasholders
LOCOMOTIVE WAY
WHEELWRIGHT WY.
ROUNDHOUSE ROAD
HUDSON WY.
STADIUM VW.
DERBY
St. Andrews House
Ivy House Sch.
Diesel Training Sch.
Engineering Works
WILMORTO
Factory
A6

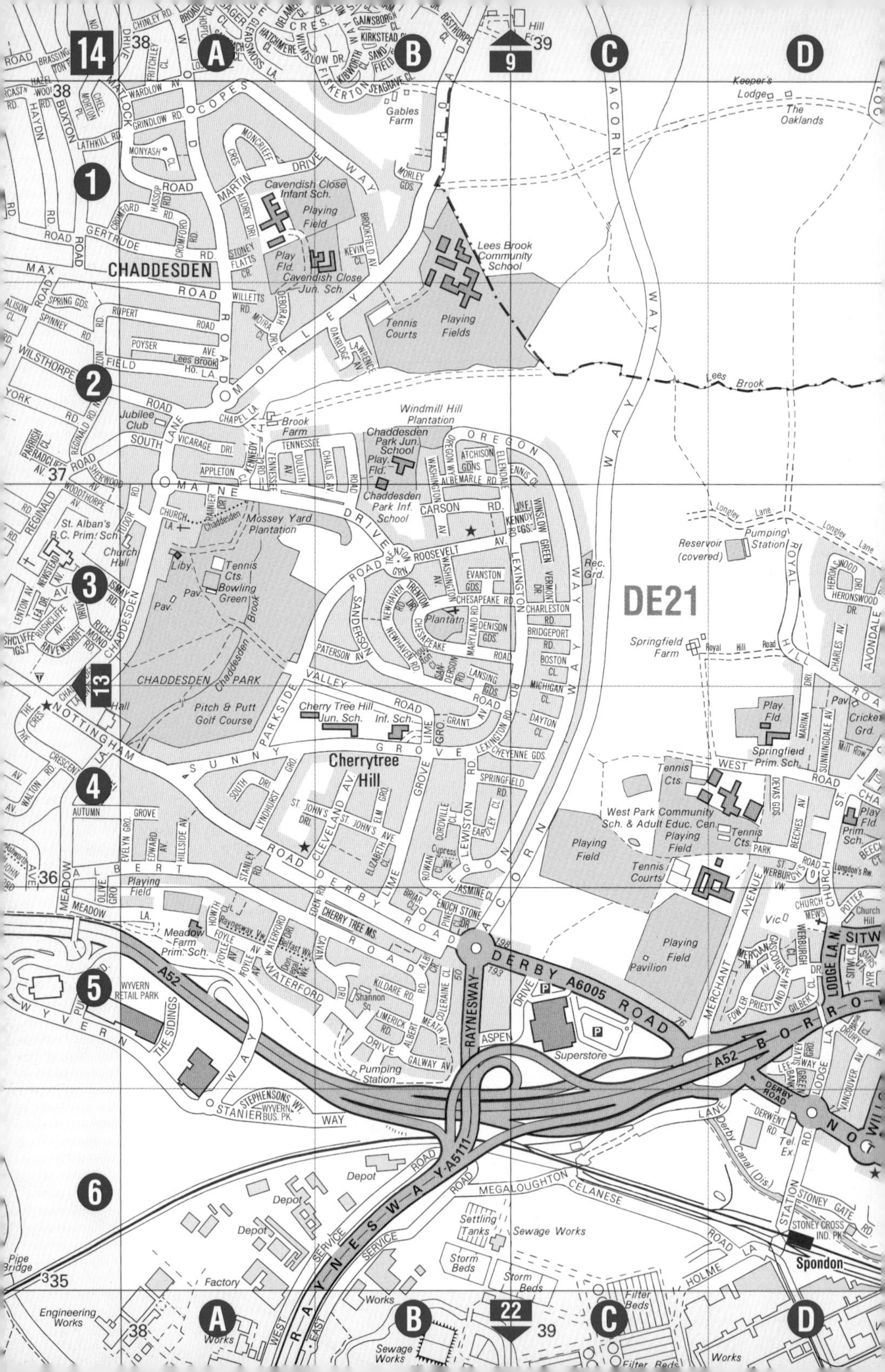

14
A
B
C
D
1
2
3
4
5
6
9
13
22
38
39
37
36
35
CHADDESDEN
Cherrytree Hill
DE21
Spondon
Gables Farm
Keeper's Lodge
The Oaklands
Cavendish Close Infant Sch.
Playing Field
Play Fld.
Cavendish Close Jun. Sch.
Lees Brook Community School
Tennis Courts
Playing Fields
Lees Brook
Windmill Hill Plantation
Chaddesden Park Jun. School
Chaddesden Park Inf. School
Brook Farm
Jubilee Club
Mossey Yard Plantation
Tennis Cts.
Bowling Green
Liby.
Pav.
CHADDESDEN PARK
Chaddesden Brook
Pitch & Putt Golf Course
St. Alban's R.C. Prim. Sch.
Church Hall
Cherry Tree Hill Jun. Sch.
Inf. Sch.
Plantn.
Rec. Grd.
Pumping Station
Reservoir (covered)
Springfield Farm
Royal Hill Road
Longley Lane
Play. Fld.
Springfield Prim. Sch.
Cricket Grd.
West Park Community Sch. & Adult Educ. Cen.
Playing Field
Tennis Courts
Pavilion
Superstore
Meadow Farm Prim. Sch.
WYVERN RETAIL PARK
THE SIDINGS
STEPHENSONS WY.
WYVERN BUS. PK.
STANIER WAY
Pumping Station
Depot
Factory
Engineering Works
Works
Settling Tanks
Sewage Works
Storm Beds
Filter Beds
Pipe Bridge
Derby Canal (Dis.)
Tel. Ex.
STONEY CROSS IND. PK.
Vic.
A52
A6005
A5111
DERBY ROAD
RAYNESWAY
NOTTINGHAM ROAD
ACORN WAY
MORLEY ROAD
MAINE DRIVE
OREGON WAY
SUNNY GROVE
MEGALOUGHTON LANE
CELANESE ROAD
HOLME LA.
BORROWASH ROAD
WEST ROAD
PARK ROAD
CHURCH ST.
LODGE LA.
MERCHANT AVENUE
STATION RD.
MEADOW LA.
ALBERT ROAD
WAY

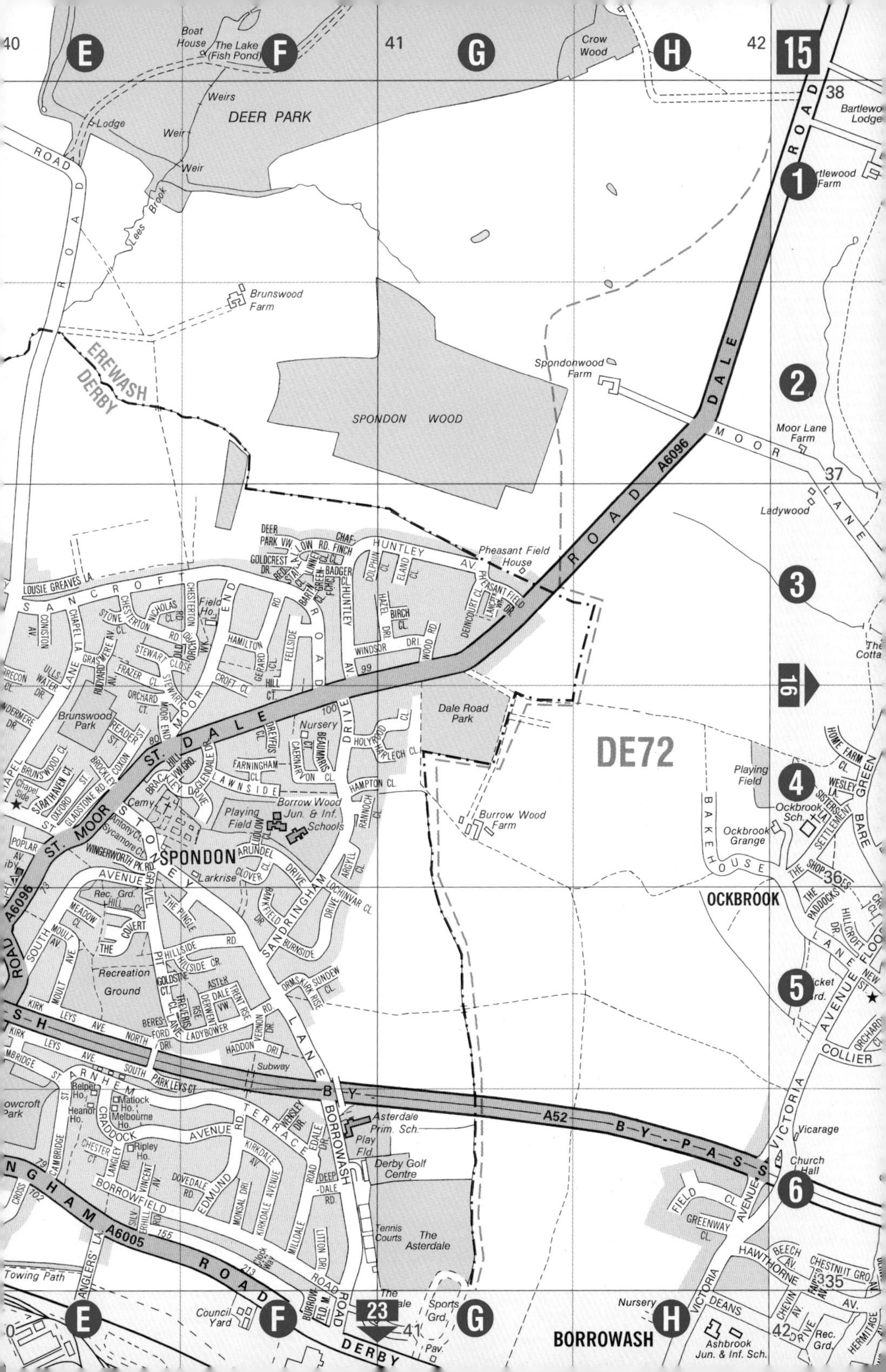
E
F
G
H
40
41
42
Boat House
The Lake (Fish Pond)
Crow Wood
Weirs
DEER PARK
Lodge
Weir
Weir
Lees Brook
ROAD
Brunswood Farm
EREWASH
DERBY
SPONDON WOOD
Spondonwood Farm
DALE
ROAD
A6096
MOOR
LANE
Moor Lane Farm
Ladywood
Pheasant Field House
Dale Road Park
DE72
Burrow Wood Farm
Playing Field
Ockbrook Sch.
Ockbrook Grange
BAKEHOUSE
OCKBROOK
SPONDON
Brunswood Park
Nursery
Borrow Wood Jun. & Inf. Schools
Playing Field
Cemy.
Larkrise
Recreation Ground
Rec. Grd.
Subway
A52
BY-PASS
Asterdale Prim. Sch.
Play Fld
Derby Golf Centre
Tennis Courts
The Asterdale
Sports Grd.
Pav.
Vicarage
Church Hall
BORROWASH
Ashbrook Jun. & Inf. Sch.
Nursery
Rec. Grd.
Council Yard
Towing Path
A6005
DERBY
ROAD
Belper Ho.
Heanor Ho.
Matlock Ho.
Melbourne Ho.
Ripley Ho.
LOUSIE GREAVES LA.
SANCROFT
HUNTLEY AV.
WINDSOR
ST. MOOR
GRAVEL
STONEY
SANDRINGHAM
BORROWASH
VICTORIA
AVENUE
COLLIER
HAWTHORNE
DEANS
GREENWAY CL.
KIRK LEYS AVE NORTH
KIRK LEYS AVE SOUTH
ARNHEM TERRACE
CRADDOCK AVENUE
BORROWFIELD
1
2
3
4
5
6
16
23
38
37
36
35

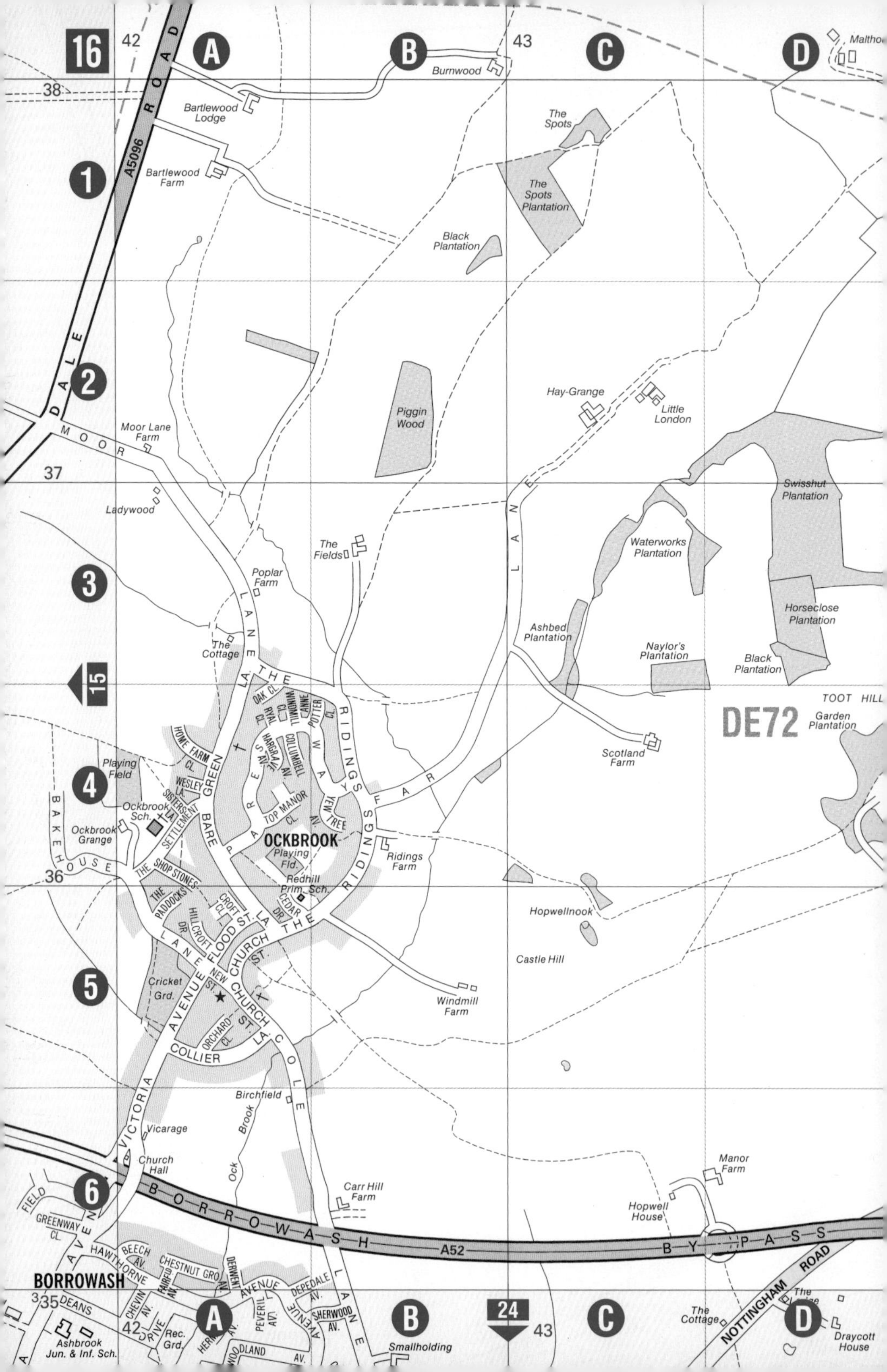
A
B
C
D
1
2
3
4
5
6
42
43
38
37
36
35
A5096
DALE ROAD
Burnwood
Malthouse
Bartlewood Lodge
Bartlewood Farm
The Spots
The Spots Plantation
Black Plantation
Piggin Wood
Hay-Grange
Little London
Moor Lane Farm
MOOR LANE
Ladywood
The Fields
Poplar Farm
The Cottage
Swisshut Plantation
Waterworks Plantation
Horseclose Plantation
Ashbed Plantation
Naylor's Plantation
Black Plantation
TOOT HILL
Garden Plantation
DE72
Scotland Farm
15
THE RIDINGS
FAR LANEY WAY
OAK CL.
WINDMILL CL.
ANNE POTTER CL.
RYAL CL.
HARGRAVE AV.
COLUMBELL AV.
PRESTON AV.
TOP MANOR CL.
YEW TREE AV.
HOME FARM CL.
GREEN LA.
WESLEY LA.
SISTERS LA.
SETTLEMENT
BARE LANE
Playing Field
Ockbrook Sch.
Ockbrook Grange
BAKEHOUSE LANE
OCKBROOK
Playing Fld.
Redhill Prim. Sch.
Ridings Farm
THE SHOP STONES
THE PADDOCKS
HILLCROFT DR.
CROFT CL.
FLOOD ST.
CEDAR DR.
CHURCH ST.
NEW ST.
Cricket Grd.
AVENUE
CHURCH LA.
ORCHARD CL.
COLLIER LA.
Hopwellnook
Castle Hill
Windmill Farm
Birchfield
Ock Brook
VICTORIA AVENUE
Vicarage
Church Hall
BORROWASH BY-PASS
A52
Carr Hill Farm
Manor Farm
Hopwell House
NOTTINGHAM ROAD
FIELD
GREENWAY CL.
HAWTHORNE AV.
BEECH AV.
CHESTNUT GRO.
DERWENT AV.
BORROWASH
DEANS
CHEVIN AV.
FAIRFIELD AV.
DRIVE
Rec. Grd.
DEPEDALE AV.
PEVERIL AV.
AVENUE
SHERWOOD AV.
WOODLAND AV.
Ashbrook Jun. & Inf. Sch.
Smallholding
The Cottage
The Lodge
Draycott House
LANE

24

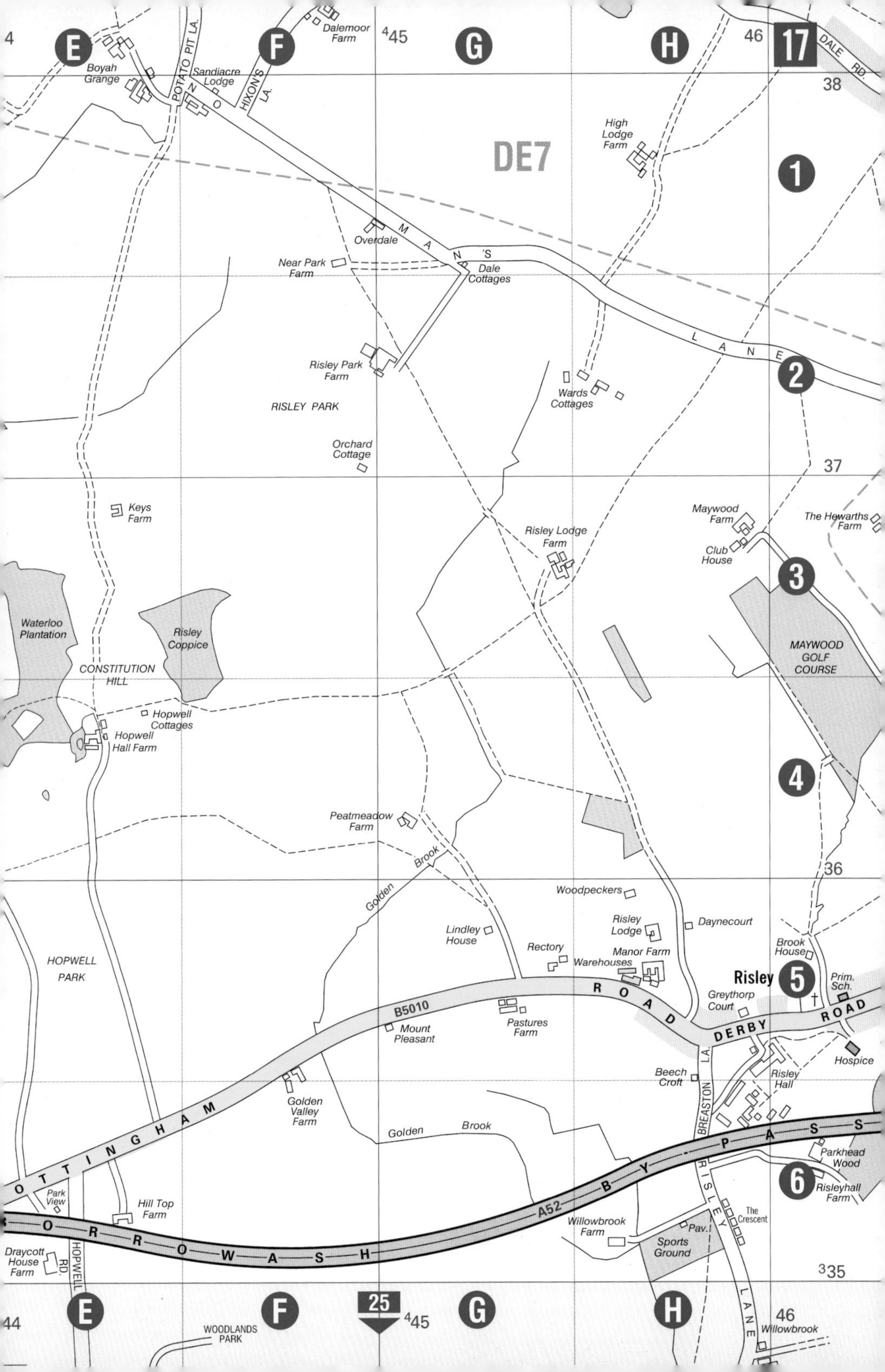

17
DE7
Dalemoor Farm
Boyah Grange
POTATO PIT LA.
Sandiacre Lodge
HIXON'S LA.
DALE RD.
High Lodge Farm
Overdale
MON'S LANE
Near Park Farm
Dale Cottages
Risley Park Farm
RISLEY PARK
Wards Cottages
Orchard Cottage
Keys Farm
Maywood Farm
Club House
The Hewarths Farm
Risley Lodge Farm
Waterloo Plantation
Risley Coppice
CONSTITUTION HILL
MAYWOOD GOLF COURSE
Hopwell Cottages
Hopwell Hall Farm
Peatmeadow Farm
Golden Brook
Woodpeckers
Risley Lodge
Daynecourt
Lindley House
Rectory
Manor Farm
Warehouses
Brook House
Risley
Prim. Sch.
HOPWELL PARK
B5010
Greythorp Court
DERBY ROAD
Mount Pleasant
Pastures Farm
Hospice
Beech Croft
Risley Hall
BREASTON LA.
NOTTINGHAM ROAD
Golden Valley Farm
Golden Brook
A52
BYPASS
Parkhead Wood
Risleyhall Farm
Park View
Hill Top Farm
RISLEY LANE
The Crescent
Willowbrook Farm
Pav.
Sports Ground
BORROWASH
Draycott House Farm
HOPWELL RD.
25
WOODLANDS PARK
Willowbrook

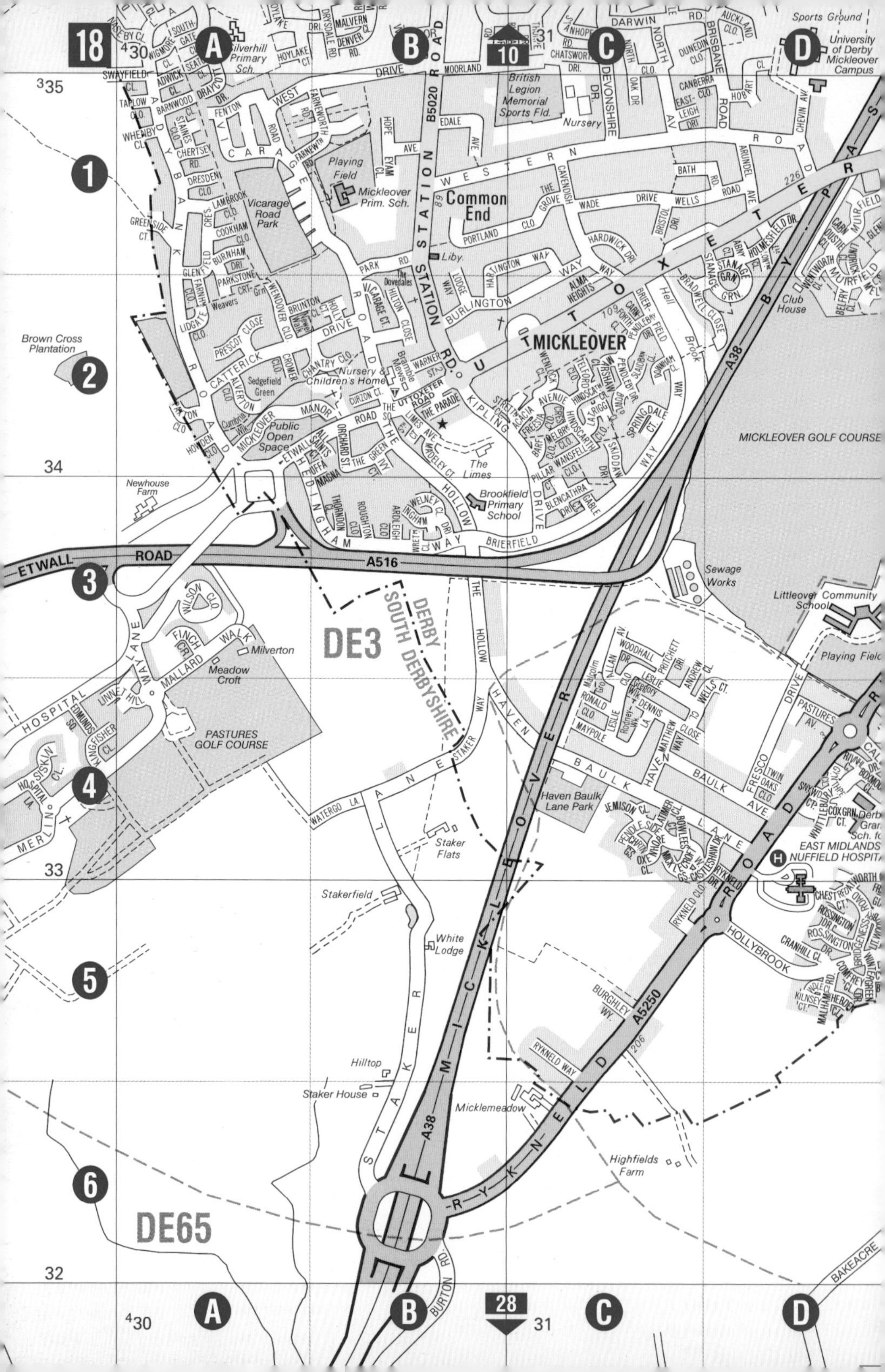

A
B
C
D
10
28
430
31
335
34
33
32
1
2
3
4
5
6
DE3
DE65
MICKLEOVER
Common End
Silverhill Primary Sch.
British Legion Memorial Sports Fld.
Nursery
Sports Ground
University of Derby Mickleover Campus
Playing Field
Mickleover Prim. Sch.
Vicarage Road Park
Liby.
The Dovedales
Nursery & Children's Home
Bramble Mews
Sedgefield Green
Public Open Space
The Limes
Brookfield Primary School
Newhouse Farm
Brown Cross Plantation
Club House
MICKLEOVER GOLF COURSE
Sewage Works
Littleover Community School
Playing Field
Milverton
Meadow Croft
PASTURES GOLF COURSE
Haven Baulk Lane Park
Staker Flats
Stakerfield
White Lodge
Hilltop
Staker House
Micklemeadow
Highfields Farm
EAST MIDLANDS NUFFIELD HOSPITAL
DERBY
SOUTH DERBYSHIRE
B5020
A516
A38
A5250
ETWALL ROAD
STATION ROAD
UTTOXETER ROAD
WESTERN ROAD
MICKLEOVER BY-PASS
MICKLEOVER BY PASS
RYKNELD ROAD
STAKER LANE
BAULK LANE
HAVEN BAULK AVE.
HOSPITAL LANE
WAYLANE
MALLARD WALK
MOORLAND DRIVE
DARWIN RD.
DEVONSHIRE DR.
BRISBANE ROAD
CAVENDISH WAY
CATTERICK DRIVE
VICARAGE ROAD
HOLLOW
BRIERFIELD WAY
KIPLING DRIVE
THE PARADE
PARK RD.
BURLINGTON WAY
PORTLAND CLO.
WADE DRIVE
WELLS ROAD
BATH ROAD
BRISTOL DRI.
HARDWICK DRI.
HARTINGTON WAY
ALMA HEIGHTS
HOLLYBROOK WAY
BURGHLEY WY.
RYKNELD WAY
WATERGO LA.
PASTURES AV.
FRESCO DRIVE
TWIN OAKS CLO.
WILSON CLO.
FINCH CR.
LINNET HILL
KINGFISHER CL.
EDMUNDS SQ.
SISKIN CL.
MERLIN
BAKEACRE
BURTON RD.

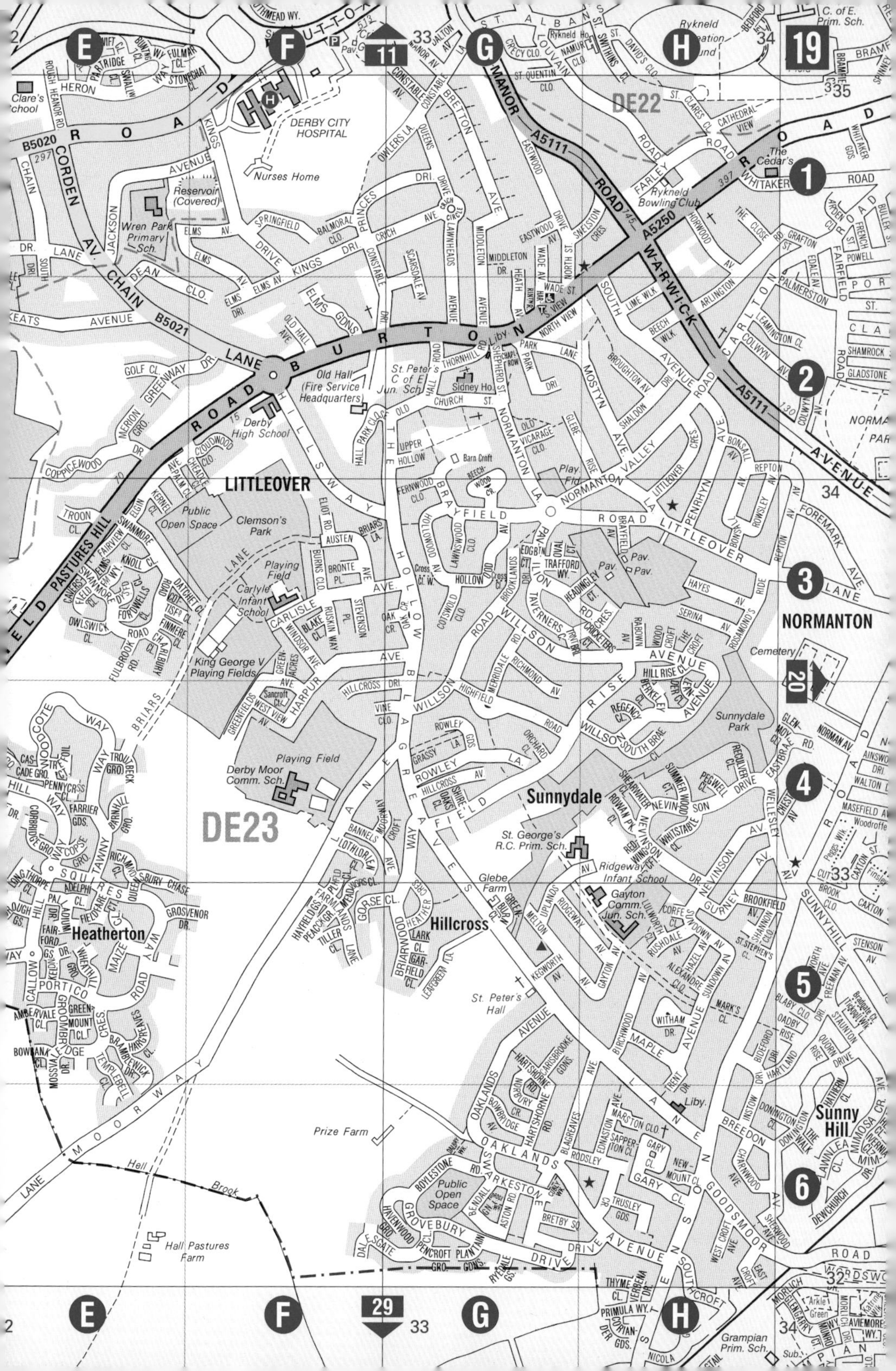

19
11
29
20
E
F
G
H
1
2
3
4
5
6
33
34
35
32
DE22
DE23
LITTLEOVER
NORMANTON
Sunnydale
Hillcross
Heatherton
Sunny Hill
DERBY CITY HOSPITAL
Nurses Home
Reservoir (Covered)
Wren Park Primary Sch.
Clare's School
Old Hall (Fire Service Headquarters)
St. Peter's C of E Jun. Sch.
Sidney Ho.
Derby High School
Public Open Space
Clemson's Park
Playing Field
Carlyle Infant School
King George V Playing Fields
Derby Moor Comm. Sch.
St. George's R.C. Prim. Sch.
Ridgeway Infant School
Gayton Comm. Jun. Sch.
Glebe Farm
St. Peter's Hall
Prize Farm
Hall Pastures Farm
Hell Brook
Rykneld Bowling Club
The Cedar's
Cemetery
Sunnydale Park
Barn Croft
Play. Fld.
Liby.
Grampian Prim. Sch.
C. of E. Prim. Sch.
B5020 ROAD
CORDEN AV.
CHAIN LANE
B5021 BURTON ROAD
A5111 MANOR ROAD
A5250
WARWICK AVENUE
A5111
PASTURES HILL
MOORWAY LANE
BLAGREAVES LANE
STENSON ROAD
LITTLEOVER LA.
NORMANTON LA.
WILLSON AVENUE
WILLSON ROAD
KINGS DRI.
STENSON AV.
KEATS AVENUE
WHITAKER ROAD
OAKLANDS AVENUE
GOODSMOOR ROAD
SUNNYHILL AV.
BREEDON AV.

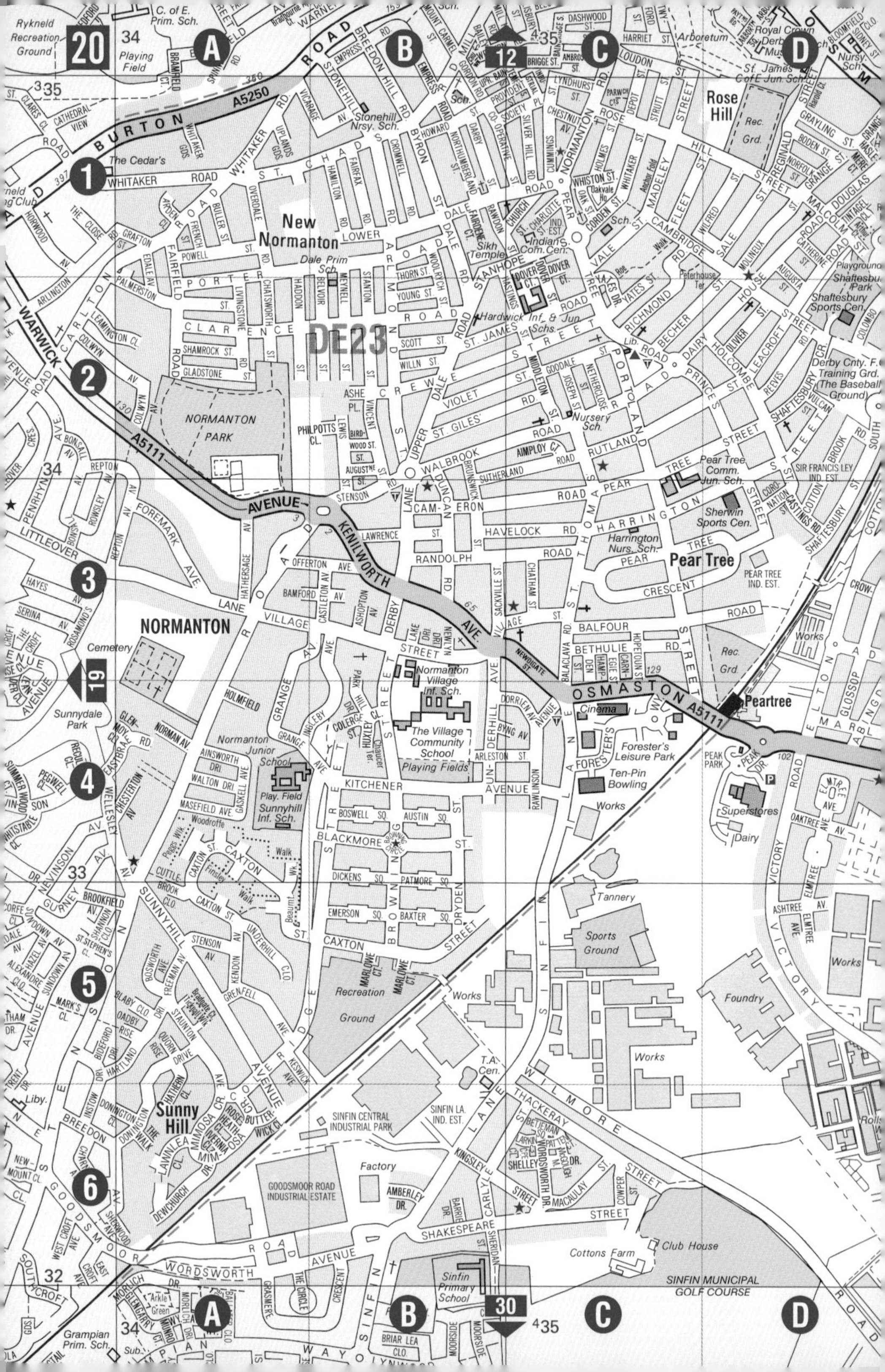
20
34
A
B
C
D
12
435
Rykneld Recreation Ground
Playing Field
C. of E. Prim. Sch.
BURTON ROAD A5250
WHITAKER ROAD
The Cedar's
Royal Crown Derby Museum
Arboretum
St. James C of E Jun. Sch.
Rose Hill
Rec. Grd.
Stonehill Nrsy. Sch.
New Normanton
Dale Prim Sch.
DE23
Sikh Temple
Indian Com. Cen.
Hardwick Inf. & Jun. Schs.
NORMANTON PARK
WARWICK AVENUE A5111
KENILWORTH AVE.
Nursery Sch.
Pear Tree Comm. Jun. Sch.
Sherwin Sports Cen.
Harrington Nurs. Sch.
Pear Tree
PEAR TREE IND. EST.
Shaftesbury Park
Shaftesbury Sports Cen.
Derby Cnty. F.C. Training Grd. (The Baseball Ground)
SIR FRANCIS LEY IND. EST.
NORMANTON
Cemetery
19
Sunnydale Park
Normanton Village Inf. Sch.
The Village Community School
Playing Fields
Normanton Junior School
Play. Field
Sunnyhill Inf. Sch.
OSMASTON A5111
Cinema
Forester's Leisure Park
Ten-Pin Bowling
Works
Peartree
PEAK PARK
Superstores
Dairy
Rec. Grd.
Tannery
Sports Ground
Foundry
Recreation Ground
Sunny Hill
T.A. Cen.
SINFIN CENTRAL INDUSTRIAL PARK
SINFIN LA. IND. EST.
Factory
GOODSMOOR ROAD INDUSTRIAL ESTATE
WILMORE STREET
Cottons Farm
Club House
SINFIN MUNICIPAL GOLF COURSE
Sinfin Primary School
30
Liby.
Arkle Green
Grampian Prim. Sch.
32
33
1
2
3
4
5
6

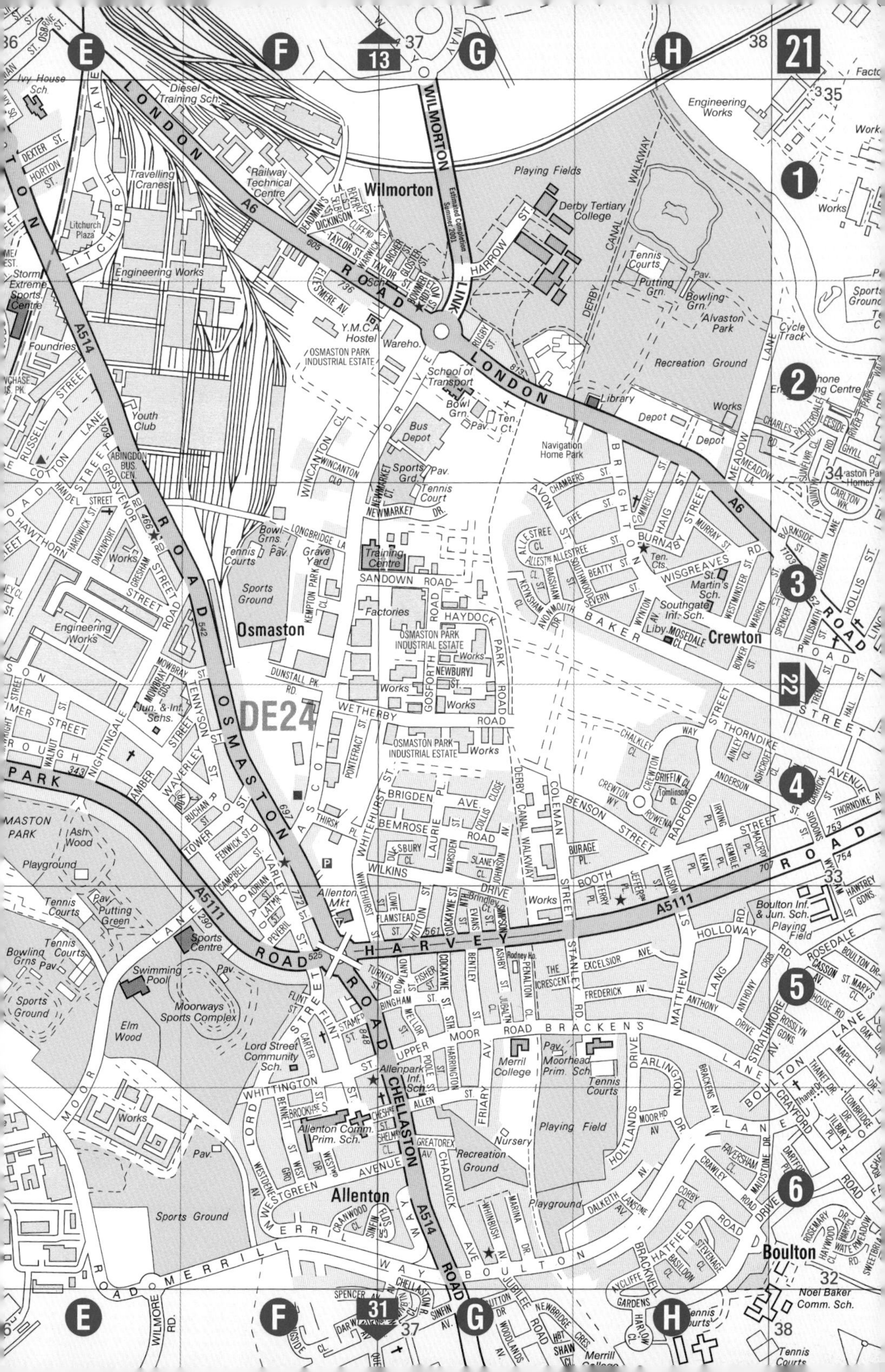

21
13
31
22
E
F
G
H
1
2
3
4
5
6
Wilmorton
Osmaston
Crewton
Allenton
Boulton
DE24
LONDON ROAD
A6
A514
A5111
OSMASTON ROAD
HARVEY ROAD
CHELLASTON ROAD
WILMORTON LINK
Estimated Completion Summer 2001
Diesel Training Sch.
Railway Technical Centre
Travelling Cranes
Litchurch Plaza
Engineering Works
Storm Extreme Sports Centre
Foundries
Youth Club
Ivy House Sch.
Y.M.C.A. Hostel
OSMASTON PARK INDUSTRIAL ESTATE
School of Transport
Bus Depot
Sports Grd.
Tennis Court
Training Centre
Grave Yard
Sports Ground
Factories
Playing Fields
Derby Tertiary College
Tennis Courts
Putting Grn.
Bowling Grn.
Alvaston Park
Recreation Ground
Library
Navigation Home Park
Cycle Track
St. Martin's Sch.
Southgate Inf. Sch.
Boulton Inf. & Jun. Sch.
Playing Field
Allenton Mkt
Sports Centre
Swimming Pool
Moorways Sports Complex
Ash Wood
Elm Wood
Playground
Lord Street Community Sch.
Allenpark Inf. Sch.
Allenton Comm. Prim. Sch.
Merril College
Moorhead Prim. Sch.
Nursery
Noel Baker Comm. Sch.
DERBY CANAL WALKWAY
BAKER STREET
MERRILL WAY
BOULTON LANE
BRACKENS LANE
MOOR LANE
WILMORE RD.

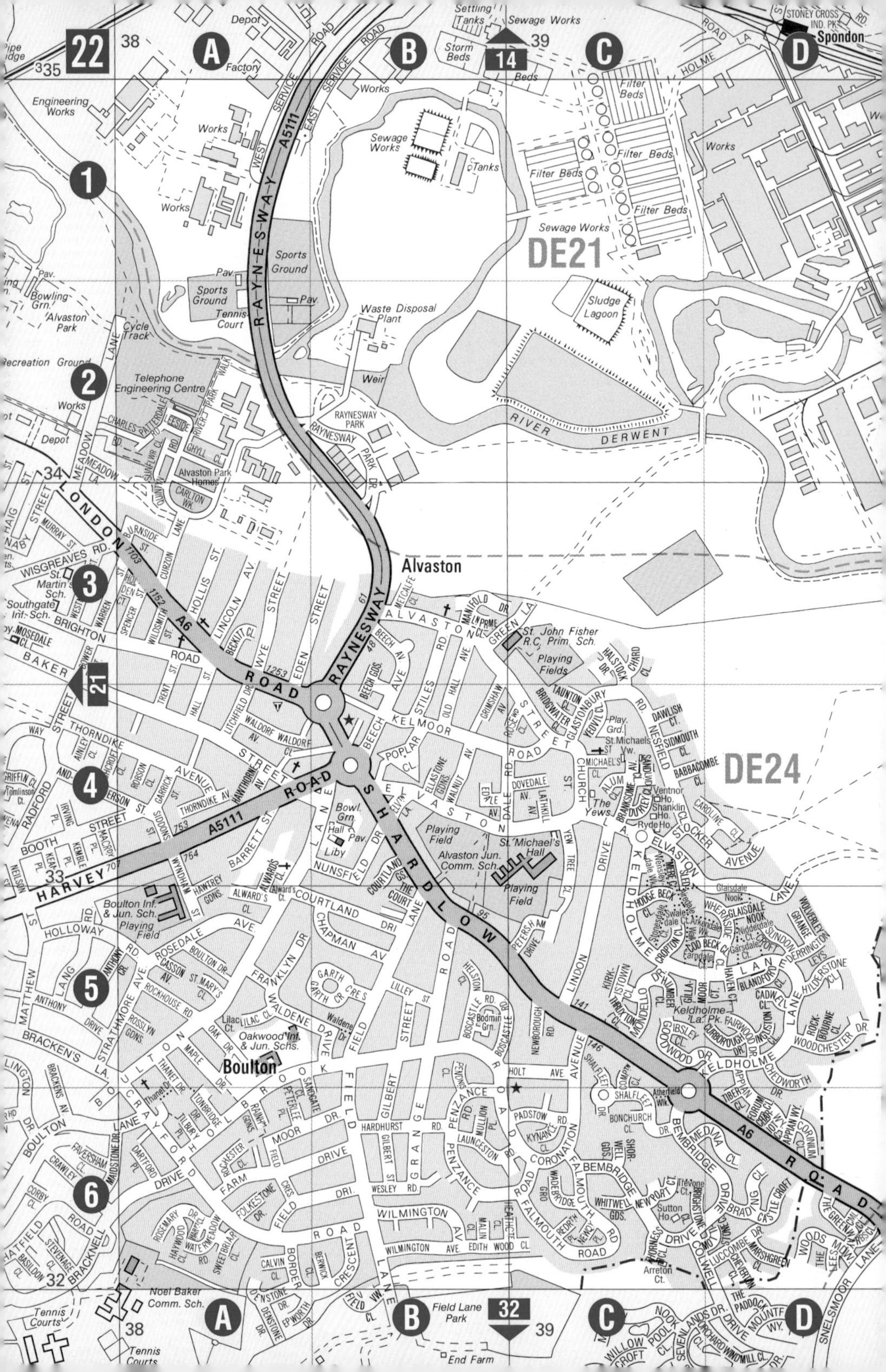

A
B
C
D
1
2
3
4
5
6
14
21
32
38
39
DE21
DE24
Alvaston
Boulton
Spondon
STONEY CROSS IND. PK.
Sewage Works
Settling Tanks
Storm Beds
Filter Beds
Sludge Lagoon
Waste Disposal Plant
Weir
RIVER DERWENT
Sports Ground
Tennis Court
Telephone Engineering Centre
Cycle Track
Alvaston Park
Recreation Ground
Bowling Grn.
Engineering Works
Works
Depot
Factory
Tanks
Alvaston Park Homes
RAYNESWAY PARK
RAYNESWAY
A5111
A6
LONDON ROAD
HARVEY ROAD
SHARDLOW ROAD
St. John Fisher R.C. Prim. Sch.
Playing Fields
St. Martin's Sch.
Southgate Inf. Sch.
Alvaston Jun. Comm. Sch.
St. Michael's Hall
Boulton Inf. & Jun. Sch.
Oakwood Inf. & Jun. Schs.
Noel Baker Comm. Sch.
Keldholme La. Pk.
Field Lane Park
End Farm
Tennis Courts
ELVASTON LANE
KELMOOR ROAD
CHURCH STREET
COURTLAND DRIVE
CHAPMAN AV.
FRANKLYN DR.
WALDENE DRIVE
BRACKEN'S LA.
BOULTON LANE
BRACKNELL
CRAYFORD
CORONATION AVENUE
FALMOUTH RD
WILMINGTON AV.
BORDER CRESCENT
BEMBRIDGE DRIVE
KELDHOLME LANE
WOODCHESTER DR.
SNELSMOOR LANE

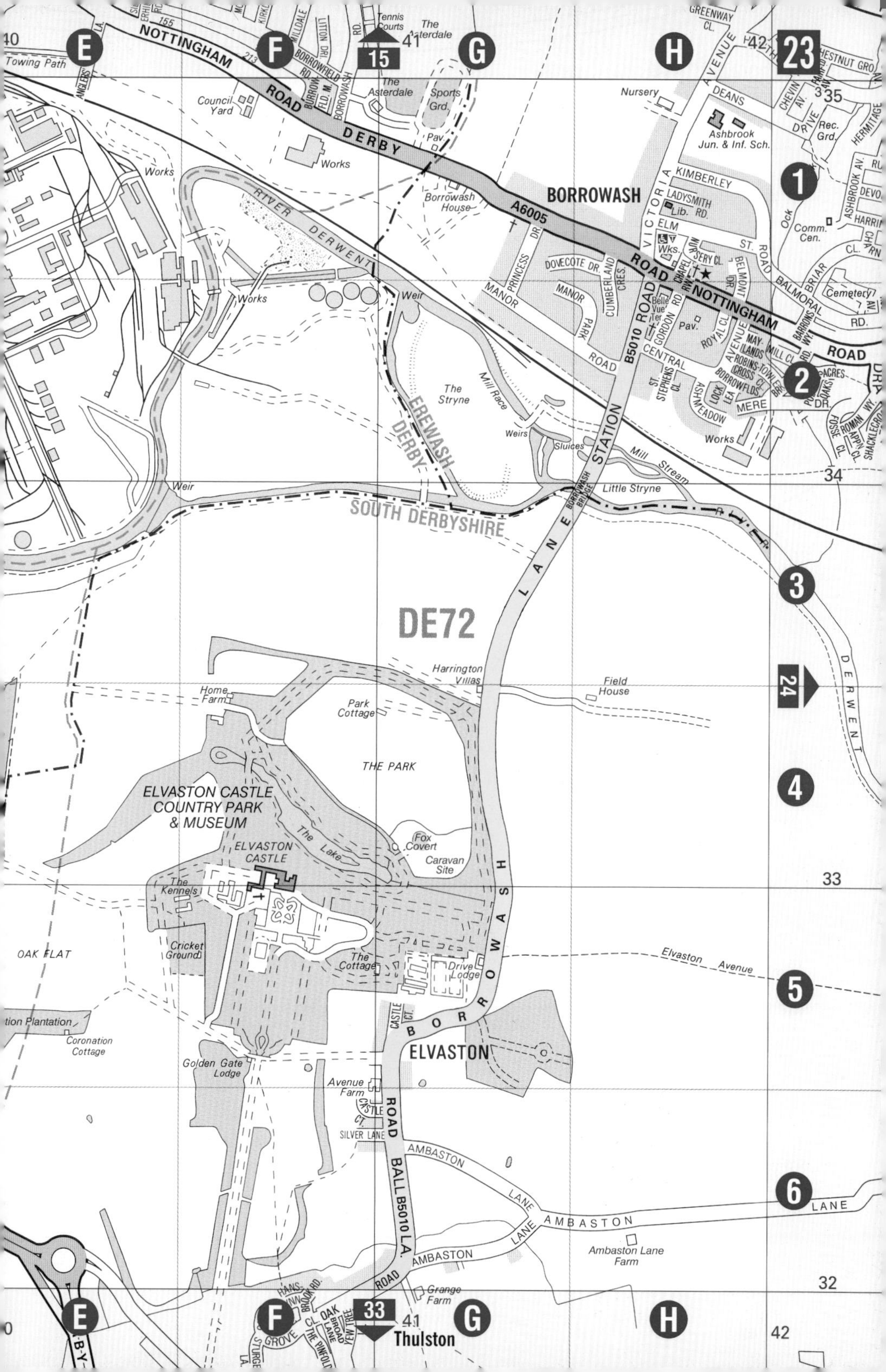

23
E
F
G
H
1
2
3
4
5
6
NOTTINGHAM ROAD
DERBY ROAD
A6005
BORROWASH
RIVER DERWENT
Towing Path
Council Yard
Works
The Asterdale
Sports Grd.
Tennis Courts
Pav.
Borrowash House
Nursery
Ashbrook Jun. & Inf. Sch.
KIMBERLEY
LADYSMITH RD.
Lib.
ELM
VICTORIA AVENUE
DEANS DRIVE
DOVECOTE DR.
PRINCESS DR.
MANOR
MANOR
CUMBERLAND CRES.
PARK ROAD
B5010 ROAD
CENTRAL
GORDON RD.
ROYAL CL.
BELMONT DR.
ST. STEPHENS CL.
ASHMEADOW
MERE
BALMORAL RD.
BRIAR CL.
Cemetery
Rec. Grd.
Comm. Cen.
Weir
Weirs
Sluices
Mill Stream
Mill Race
The Stryne
Little Stryne
EREWASH
DERBY
SOUTH DERBYSHIRE
STATION LANE
BORROWASH BRIDGE
DE72
Harrington Villas
Field House
Home Farm
Park Cottage
THE PARK
ELVASTON CASTLE COUNTRY PARK & MUSEUM
ELVASTON CASTLE
The Lake
Fox Covert
Caravan Site
The Kennels
Cricket Ground
OAK FLAT
The Cottage
Drive Lodge
Elvaston Avenue
BORROWASH ROAD
Coronation Cottage
Golden Gate Lodge
ELVASTON
Avenue Farm
CASTLE CT.
SILVER LANE
BALL LA. B5010
AMBASTON LANE
AMBASTON ROAD
Ambaston Lane Farm
Grange Farm
15
24
33
Thulston
DERWENT
41
42
33
32
34
35

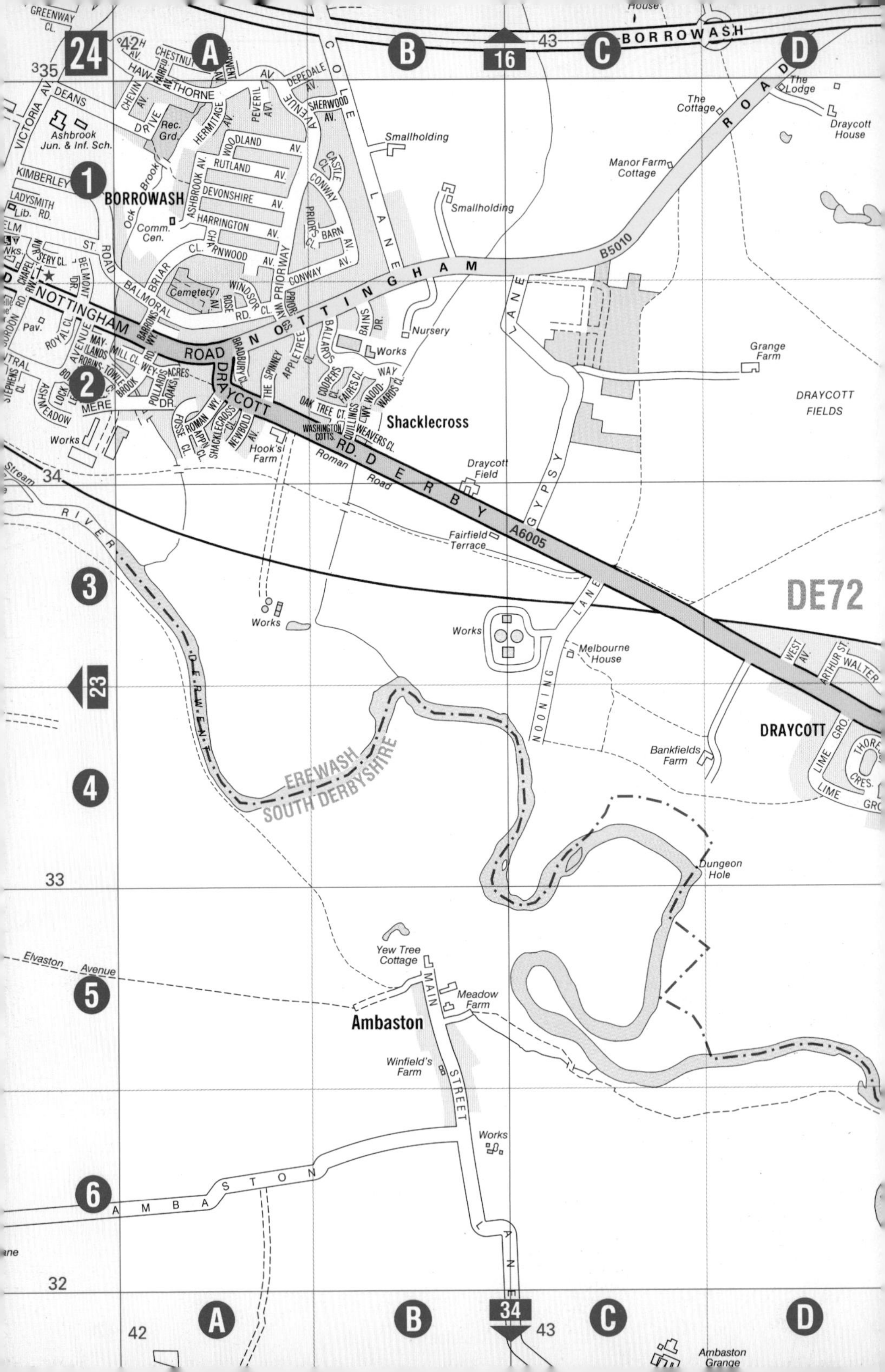

24
16
23
34
BORROWASH
Shacklecross
DRAYCOTT
Ambaston
DE72
DRAYCOTT FIELDS
EREWASH
SOUTH DERBYSHIRE
RIVER DERWENT
NOTTINGHAM ROAD
B5010
DRAYCOTT RD.
DERBY RD.
A6005
COLE LANE
GYPSY LANE
NOONING LANE
MAIN STREET
AMBASTON LANE
Ashbrook Jun. & Inf. Sch.
Rec. Grd.
Comm. Cen.
Cemetery
Smallholding
Nursery
Works
Hook's Farm
Roman Road
Draycott Field
Fairfield Terrace
Melbourne House
Bankfields Farm
Grange Farm
Manor Farm Cottage
The Cottage
The Lodge
Draycott House
Dungeon Hole
Yew Tree Cottage
Meadow Farm
Winfield's Farm
Ambaston Grange
Elvaston Avenue
Stream
Ock Brook

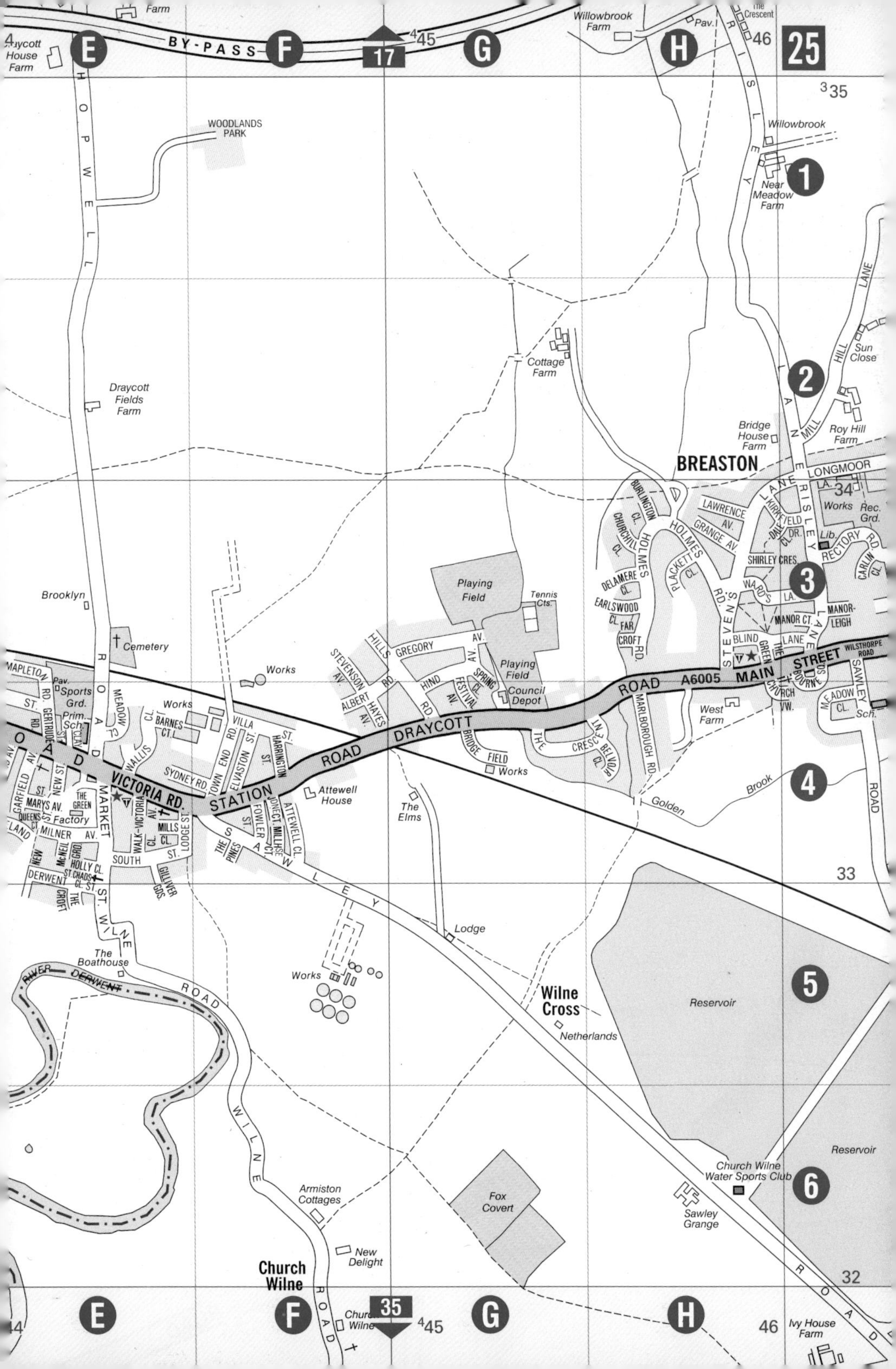

BY-PASS
17
Draycott House Farm
Farm
Willowbrook Farm
Pav.
The Crescent
E
F
G
H
445
46
335
WOODLANDS PARK
HOPWELL
Willowbrook
Near Meadow Farm
1
RISLEY LANE
Cottage Farm
Sun Close
HILL LANE
2
Draycott Fields Farm
Bridge House Farm
MILL
Roy Hill Farm
BREASTON
LONGMOOR LA.
34
LAWRENCE AV.
KIRKFIELD DR.
GRANGE AV.
Works
Rec. Grd.
Lib.
RECTORY RD.
CARLIN CL.
BURLINGTON CL.
CHURCHILL CL.
HOLMES
PLACKETTS CL.
SHIRLEY CRES.
3
DELAMERE CL.
EARLSWOOD CL.
FAR CROFT RD.
WARD'S LA.
STEVEN'S RD.
MANOR CT.
MANOR-LEIGH
BLIND LANE
Playing Field
Tennis Cts.
Brooklyn
Cemetery
Works
HILLS RD.
GREGORY AV.
STEVENSON AV.
HIND AV.
SPRING CL.
FESTIVAL AV.
Playing Field
Council Depot
ALBERT AV.
HAYES AV.
MAPLETON RD.
Pav.
Sports Grd.
Prim. Sch.
GERTRUDE RD.
MEADOW CL.
BARNES CT.
WALLIS CL.
VILLA ST.
TOWN END RD.
ELVASTON ST.
HARRINGTON ST.
DRAYCOTT ROAD
BRIDGE FIELD
Works
THE CRESCENT
BELVOIR CL.
MARLBOROUGH RD.
A6005 MAIN STREET
WILSHORPE ROAD
BOURNE
CHURCH VW.
SAWLEY ROAD
MEADOW CL.
Sch.
West Farm
GARFIELD AV.
ST. MARYS AV.
QUEENS CT.
MILNER AV.
THE GREEN
Factory
VICTORIA RD.
MARKET ST.
WALK-VICTORIA CL.
MILLS CL.
SYDNEY RD.
STATION ROAD
LODGE ST.
Attewell House
The Elms
4
Golden Brook
SOUTH ST.
GILLIVER GDS.
HOLLY CL.
ST. CHADS CL.
DERWENT
CROFT
THE PINES
FOWLER ST.
JUNCT. MILLHSE. CT.
ATTEWELL CL.
SAWLEY
33
WILNE ROAD
Lodge
The Boathouse
RIVER DERWENT
Works
Wilne Cross
Netherlands
Reservoir
5
Reservoir
Church Wilne Water Sports Club
6
Sawley Grange
Armiston Cottages
Fox Covert
New Delight
Church Wilne
32
ROAD
Church Wilne
35
445
46
Ivy House Farm
44

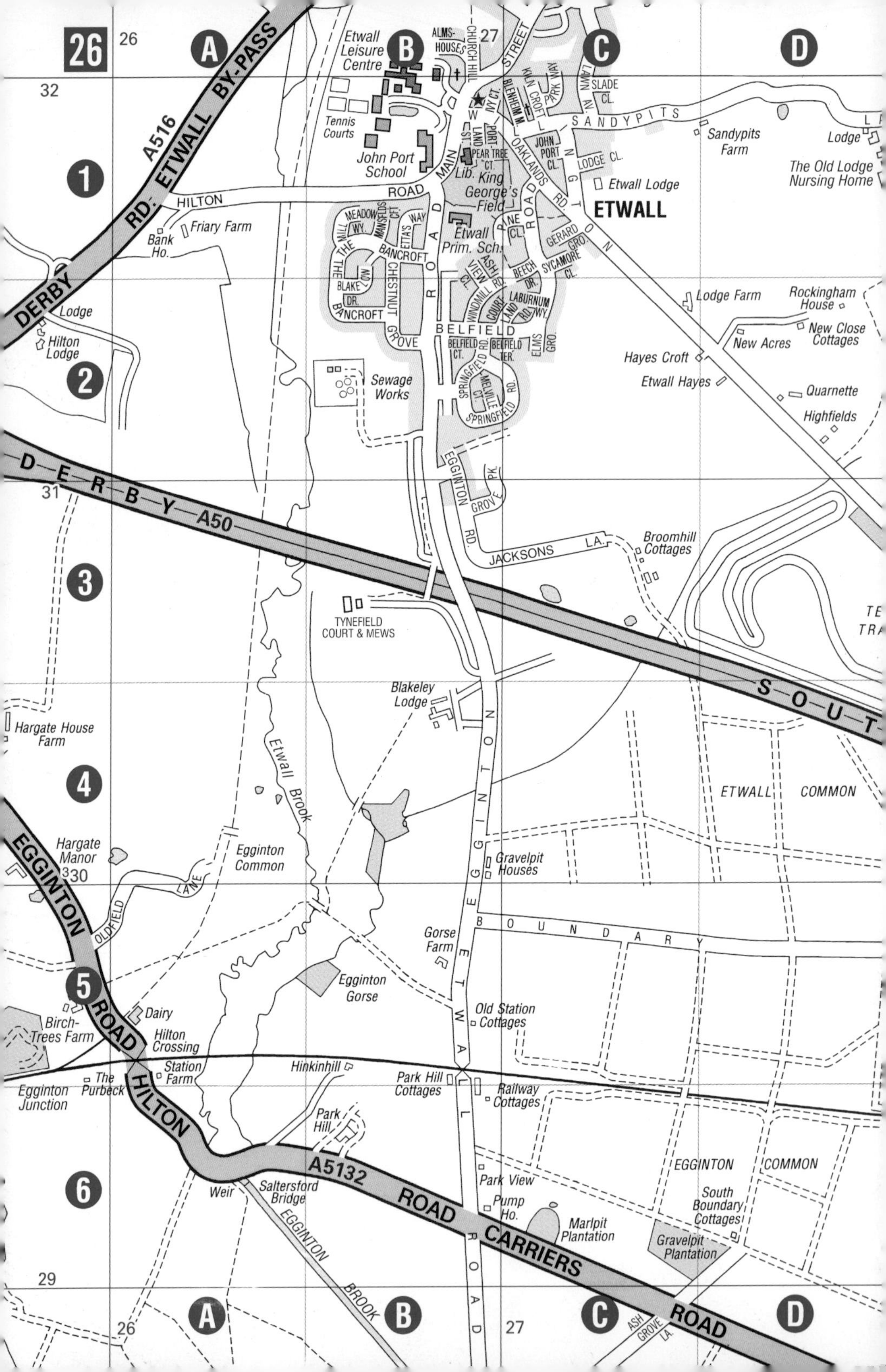

A **B** **C** **D**

1

2

3

4

5

6

A516 ETWALL BY-PASS

DERBY RD.

HILTON

Bank Ho.

Lodge

Hilton Lodge

Friary Farm

Etwall Leisure Centre

ALMS-HOUSES

CHURCH HILL

ST. STREET

27

Tennis Courts

John Port School

MEADOW WY.

ROAD

LIB. ST. WY. SHIELDS

MAIN

PEAR TREE CT.

W

OAKLANDS

NY CE LA.

BLENHEIM

PORT CROFT

NNY WK.

JOHN PORT CL.

SLADE CL.

SANDYPITS

Sandypits Farm

Lodge

The Old Lodge Nursing Home

LODGE RD.

LODGE CL.

Etwall Lodge

King George's Field

Etwall Prim. Sch.

Lib.

ETWALL

GERARD CRO.

VIEW

PINE CL.

BEECH DR.

SYCAMORE CL.

THE

BLAKE DR.

CHESTNUT GROVE

NO.

BANCROFT

THE BANCROFT

WINDMILL RD.

COURT LANE

VIEW

LABURNUM RD.

LABURNUM WY.

Lodge Farm

Rockingham House

New Acres

New Close Cottages

BELFIELD

BELFIELD CT.

BELFIELD RD.

BELFIELD TER.

ELMS GRO.

SPRINGFIELD

Hayes Croft

Etwall Hayes

Quarnette

Highfields

Sewage Works

MELVILLE RD.

SPRINGFIELD

EGGINTON

GROVE

PK.

JACKSONS LA.

Broomhill Cottages

DERBY A50

31

SOUT

TYNEFIELD COURT & MEWS

Blakeley Lodge

Hargate House Farm

Etwall Brook

EGGINTON ROAD

ETWALL COMMON

Hargate Manor

330

Egginton Common

OLDFIELD LANE

EGGINTON

Gravelpit Houses

Dairy

Birch-Trees Farm

Hilton Crossing

Station Farm

Egginton Junction

The Purbeck

Egginton Gorse

Gorse Farm

Hinkinhill

HILTON ROAD

Park Hill Cottages

Railway Cottages

Old Station Cottages

BOUNDARY

ETWALL

EGGINTON COMMON

Park Hill

A5132 ROAD

Weir

Saltersford Bridge

EGGINTON BROOK

Park View

Pump Ho.

Marlpit Plantation

South Boundary Cottages

Gravelpit Plantation

CARRIERS ROAD

ASH GROVE LA.

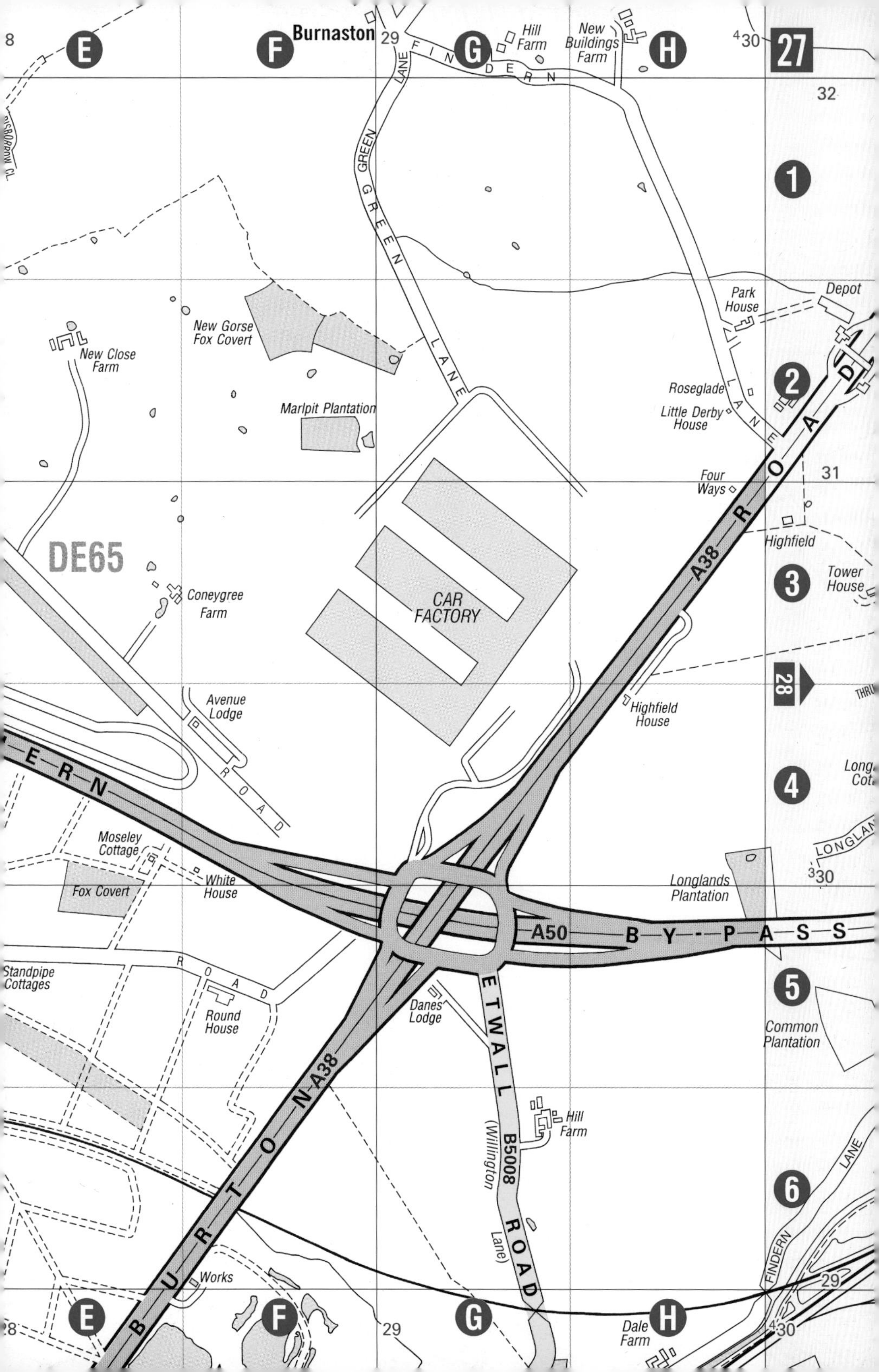
Burnaston
Hill Farm
New Buildings Farm
FINDERN LANE
GREEN LANE
New Gorse Fox Covert
New Close Farm
Marlpit Plantation
Park House
Depot
Roseglade
Little Derby House
Four Ways
Highfield
Tower House
DE65
Coneygree Farm
CAR FACTORY
A38 ROAD
Highfield House
Avenue Lodge
ROAD
ERN
Moseley Cottage
White House
Fox Covert
Longlands Plantation
LONGLANDS
A50 BY-PASS
Standpipe Cottages
ROAD
Round House
Danes Lodge
ETWALL
B5008 ROAD
(Willington Lane)
Hill Farm
Common Plantation
BURTON A38
Works
FINDERN LANE
Dale Farm

28

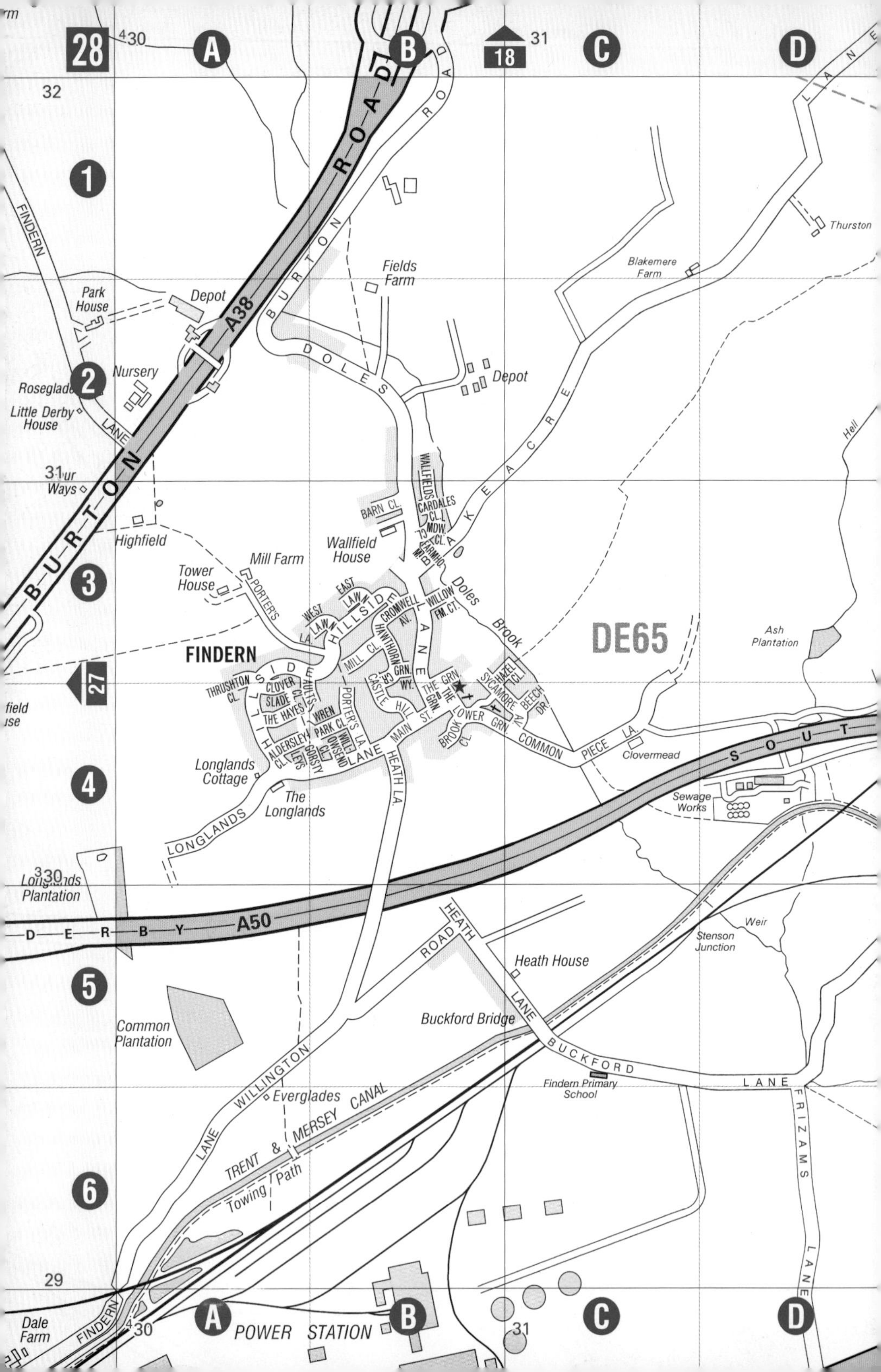

28 430 A B ▲ 18 ↑ 31 C D

32

1

Thurston

FINDERN LANE

A38 BURTON ROAD

Depot

Park House

Nursery

2

Roseglade

Little Derby House

BURTON LANE

DOLES LANE

Fields Farm

Depot

Blakemere Farm

Hill

31 ur Ways ◇

Highfield

3

Tower House

Mill Farm

PORTERS LANE

Wallfield House

WALLFIELDS

BARN CL.

CARDALES CL.

MDW.

CL.

BLAKE ACRE

Doles Brook

WILLOW FM. CT.

DE65

Ash Plantation

FINDERN

◀ 27

THRUSTON CL.

HILLSIDE

WEST LAW.

EAST LAW.

MILL CL.

HAWTHORN AV.

GRN. WY.

CROMWELL AV.

CASTLE HILL

SYCAMORE AV.

HAZEL CL.

THE GRN.

BROOK CL.

TOWER GRN.

BEECH DR.

CLOVER SLADE

THE HAYES

WREN CL.

PARK CL.

ALDERSLEY CL.

DUNSTALL

CHRISTY GDNS.

MAIN ST.

HEATH LA.

PIECE LA.

COMMON

Clovermead

SOUTH

Sewage Works

4

Longlands Cottage

The Longlands

LONGLANDS

330

Longlands Plantation

D E R B Y A50

WILLINGTON LANE

HEATH ROAD

Heath House

Stenson Junction

Weir

5

Common Plantation

TRENT & MERSEY CANAL

Everglades

Buckford Bridge

BUCKFORD LANE

Findern Primary School

FRIZAMS LANE

field use

6

Towing Path

29

Dale Farm

FINDERN 430

A **POWER STATION** B 31 C D

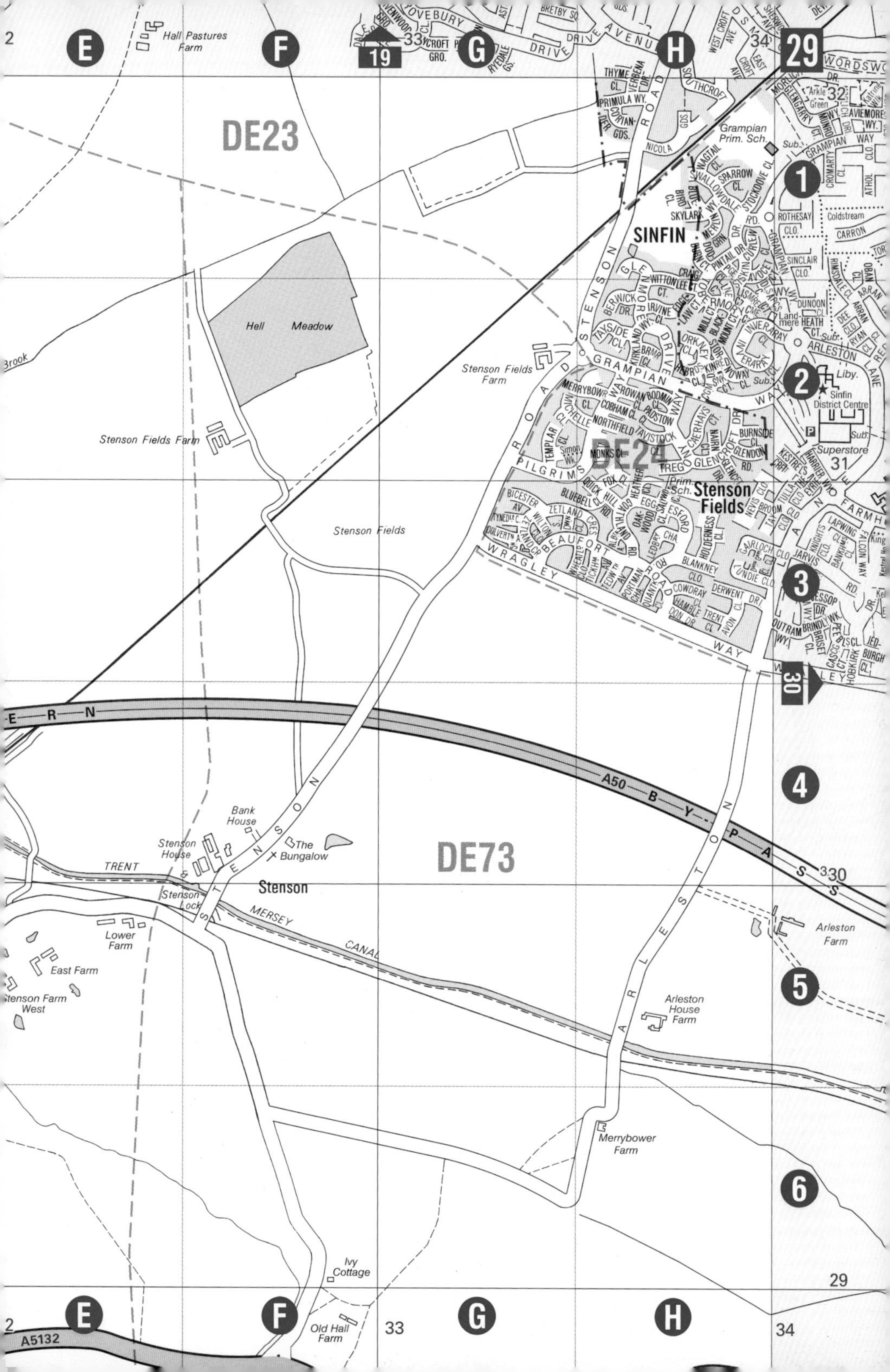
E
F
G
H
19
30
DE23
DE24
DE73
Hall Pastures Farm
Hell Meadow
Stenson Fields Farm
Stenson Fields
SINFIN
Stenson Fields
GRAMPIAN WAY
STENSON ROAD
WRAGLEY WAY
PILGRIMS WAY
Grampian Prim. Sch.
Prim. Sch.
Sinfin District Centre
Liby.
Superstore
ARLESTON LANE
Arleston Farm
Arleston House Farm
Merrybower Farm
A50 BY-PASS
TRENT & MERSEY CANAL
Stenson
Stenson Lock
Stenson House
Bank House
The Bungalow
Lower Farm
East Farm
Stenson Farm West
Ivy Cottage
Old Hall Farm
A5132
Brook
1
2
3
4
5
6
31
32
33
34
30

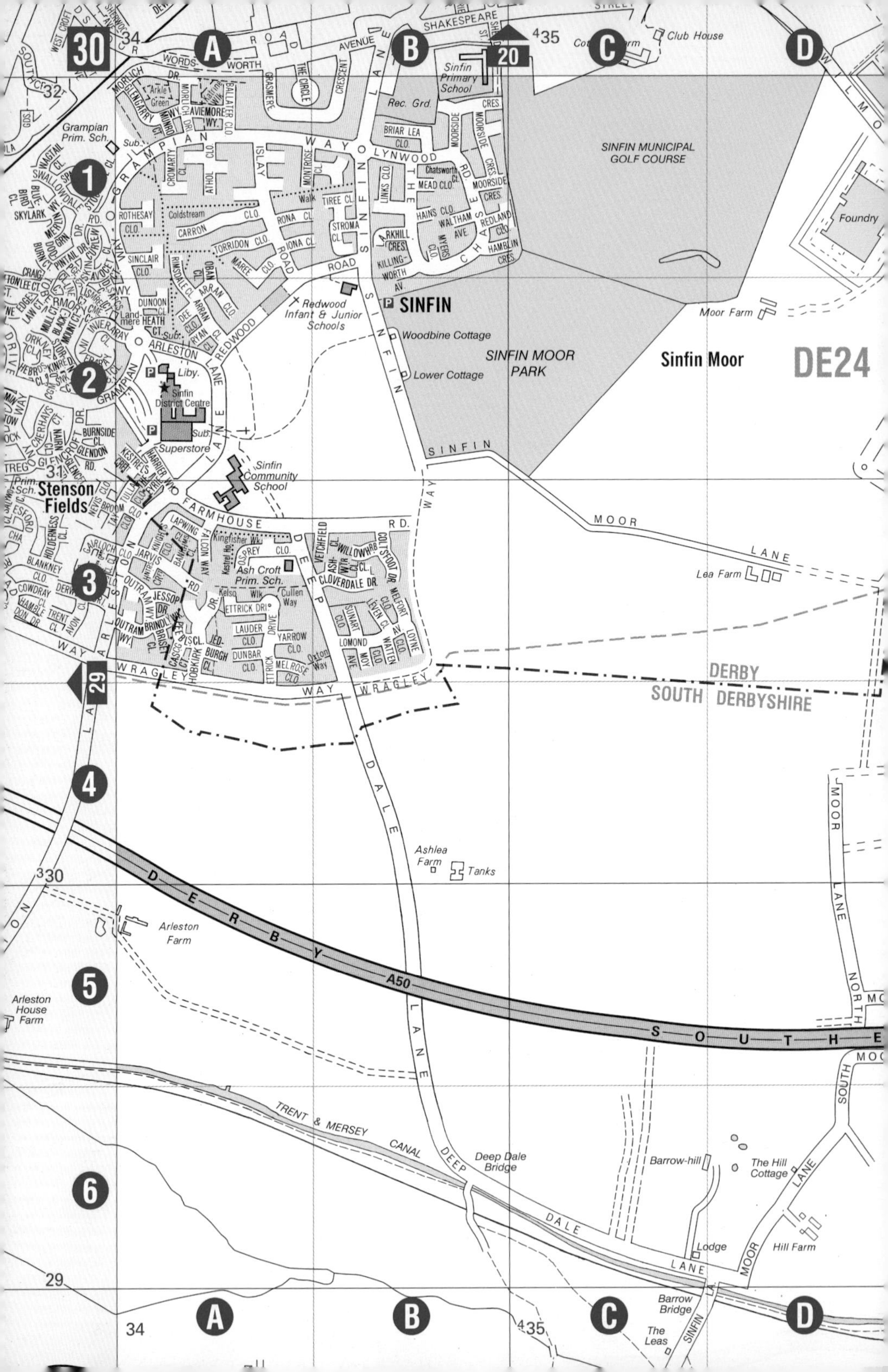
30
34
435
A
B
C
D
1
2
3
4
5
6
20
29
SHAKESPEARE
AVENUE
WORDSWORTH
ROAD
Club House
Sinfin Primary School
Rec. Grd.
Grampian Prim. Sch.
SINFIN MUNICIPAL GOLF COURSE
Foundry
GRAMPIAN WAY
LYNWOOD
SINFIN LANE
REDWOOD
ARLESTON LANE
Redwood Infant & Junior Schools
SINFIN
Woodbine Cottage
Lower Cottage
SINFIN MOOR PARK
Sinfin Moor
Moor Farm
DE24
Liby.
Sinfin District Centre
Superstore
Sinfin Community School
Stenson Fields
FARMHOUSE RD.
Ash Croft Prim. Sch.
MOOR LANE
Lea Farm
WRAGLEY WAY
DERBY
SOUTH DERBYSHIRE
DEEP DALE LANE
Ashlea Farm
Tanks
Arleston Farm
Arleston House Farm
DERBY SOUTHERN
A50
TRENT & MERSEY CANAL
Deep Dale Bridge
Barrow-hill
The Hill Cottage
Lodge
Hill Farm
Barrow Bridge
The Leas
MOOR LANE
NORTH
SOUTH
330
329

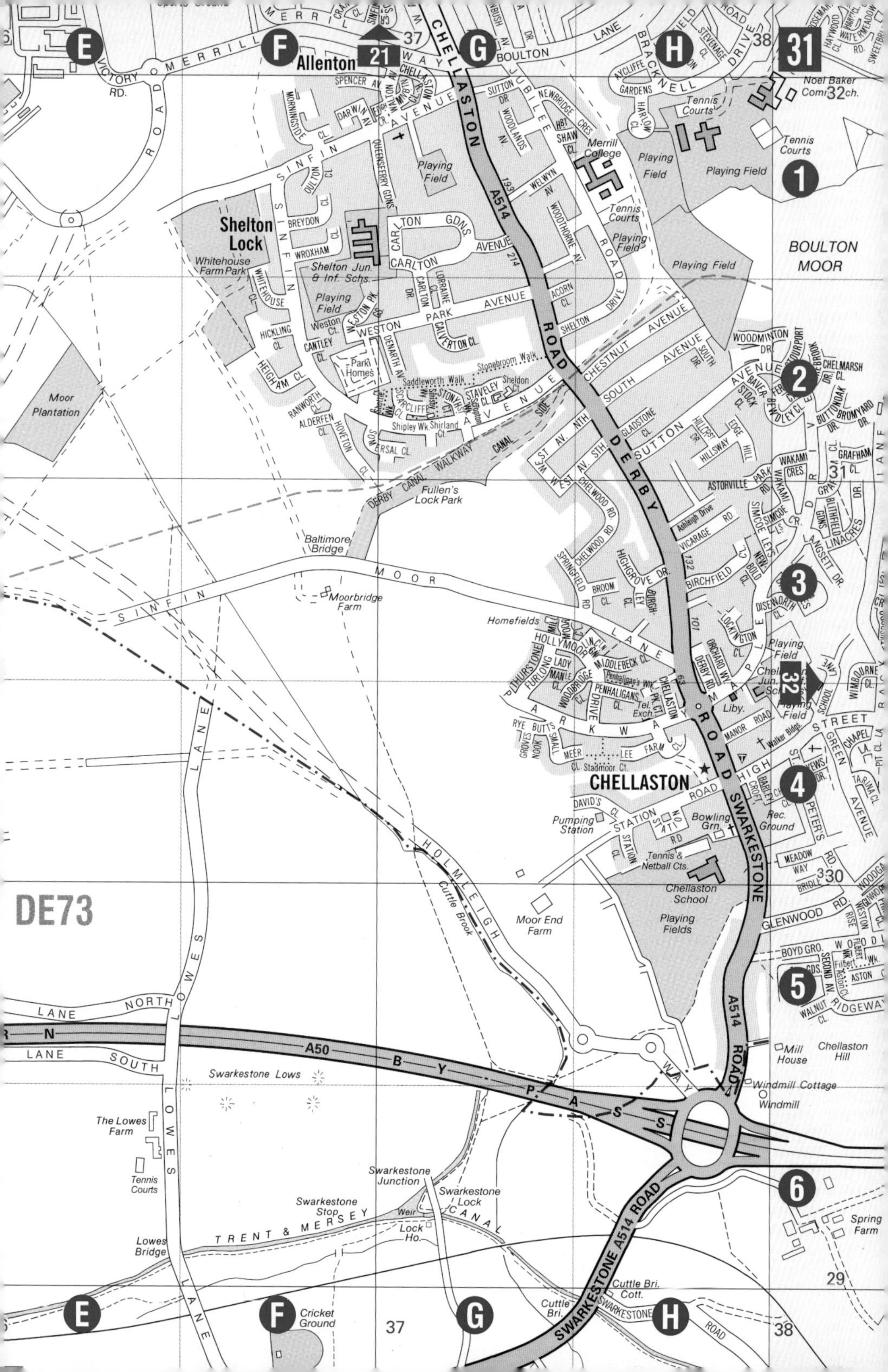

E | **F** Allenton ▲21 37 CHELLASTON **G** BOULTON LANE BRACKNELL **H** DRIVE 38 **31**

Noel Baker
Comn 32 ch.

Tennis
Courts

Tennis
Courts

Playing Field

Playing Field **1**

BOULTON
MOOR

Shelton
Lock

Whitehouse
Farm Park

Playing
Field

Playing Field

Tennis
Courts

Playing
Field

Merrill
College

Shelton Jun
& Inf. Schs.

CARLTON GDNS.

Park
Homes

Moor
Plantation

Fullen's
Lock Park

Baltimore
Bridge

Moorbridge
Farm

Homefields

Chellaston
Jun. Schs.

Playing
Field

Playing
Field **3**

Tel.
Exch.

Liby.

CHELLASTON

4

David's

Pumping
Station

STATION

Tennis &
Netball Cts

Rec.
Ground

St. PETER'S

Moor End
Farm

Chellaston School

Playing
Fields

Cuttle Brook

DE73

GLENWOOD

5

Mill
House

Chellaston
Hill

Windmill Cottage
Windmill

A50 BY-PASS

Swarkestone Lows

The Lowes
Farm

Tennis
Courts

Swarkestone
Stop

Swarkestone
Junction

Swarkestone
Lock

Weir

Lock
Ho.

TRENT & MERSEY CANAL

6

Spring
Farm

Lowes
Bridge

Cuttle Bri.
Cott.

Cuttle
Bri.

29

E | **F** Cricket
Ground 37 **G** SWARKESTONE A514 ROAD **H** ROAD 38

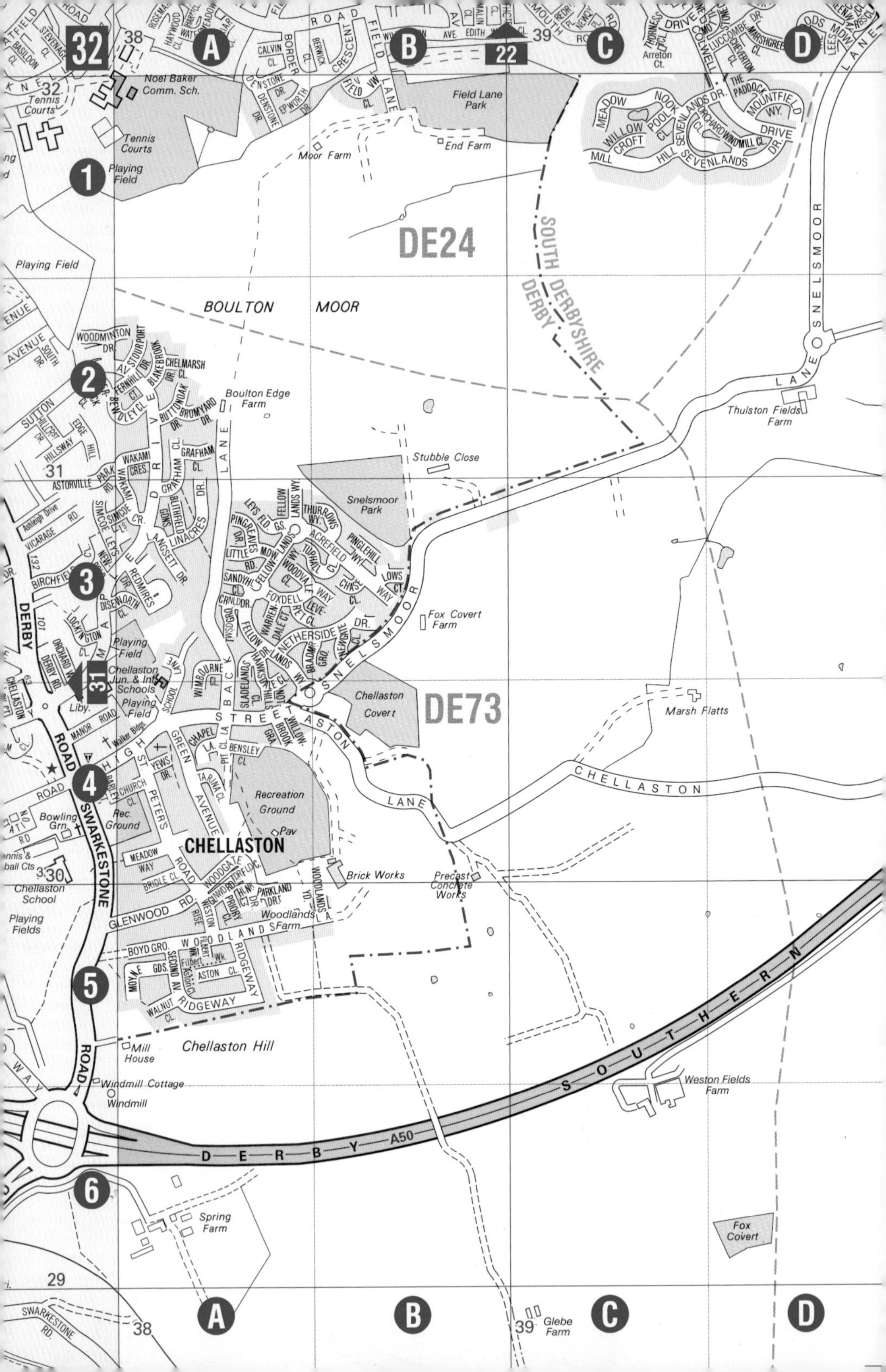

A
B
C
D
22
38
39
Noel Baker
Comm. Sch.
Tennis Courts
Playing Field
Field Lane Park
Moor Farm
End Farm
MEADOW NOOK
WILLOW CROFT
POOL CL.
MILL HILL
SEVENLANDS DR.
SEVENLANDS
MOUNTFIELD WY.
THE PADDOCK
ORCHARD
WINDMILL CL.
DRIVE
DE24
SOUTH DERBYSHIRE
DERBY
SNELSMOOR
LANE
BOULTON MOOR
Boulton Edge Farm
Thulston Fields Farm
Stubble Close
Snelsmoor Park
Fox Covert Farm
Chellaston Covert
DE73
Marsh Flatts
CHELLASTON
Recreation Ground
Pav
Brick Works
Precast Concrete Works
Woodlands Farm
Chellaston Hill
Mill House
Windmill Cottage
Windmill
Weston Fields Farm
SOUTHERN
DERBY A50
Spring Farm
Fox Covert
Glebe Farm
Chellaston Jun. & Inf. Schools
Playing Field
Liby.
Rec. Ground
Bowling Grn.
Chellaston School
Playing Fields
SWARKESTONE ROAD
DERBY ROAD
ASTON LANE
HIGH STREET
BACK LANE
WOODLANDS
RIDGEWAY
GLENWOOD RD.
31
30
29
1
2
3
4
5
6

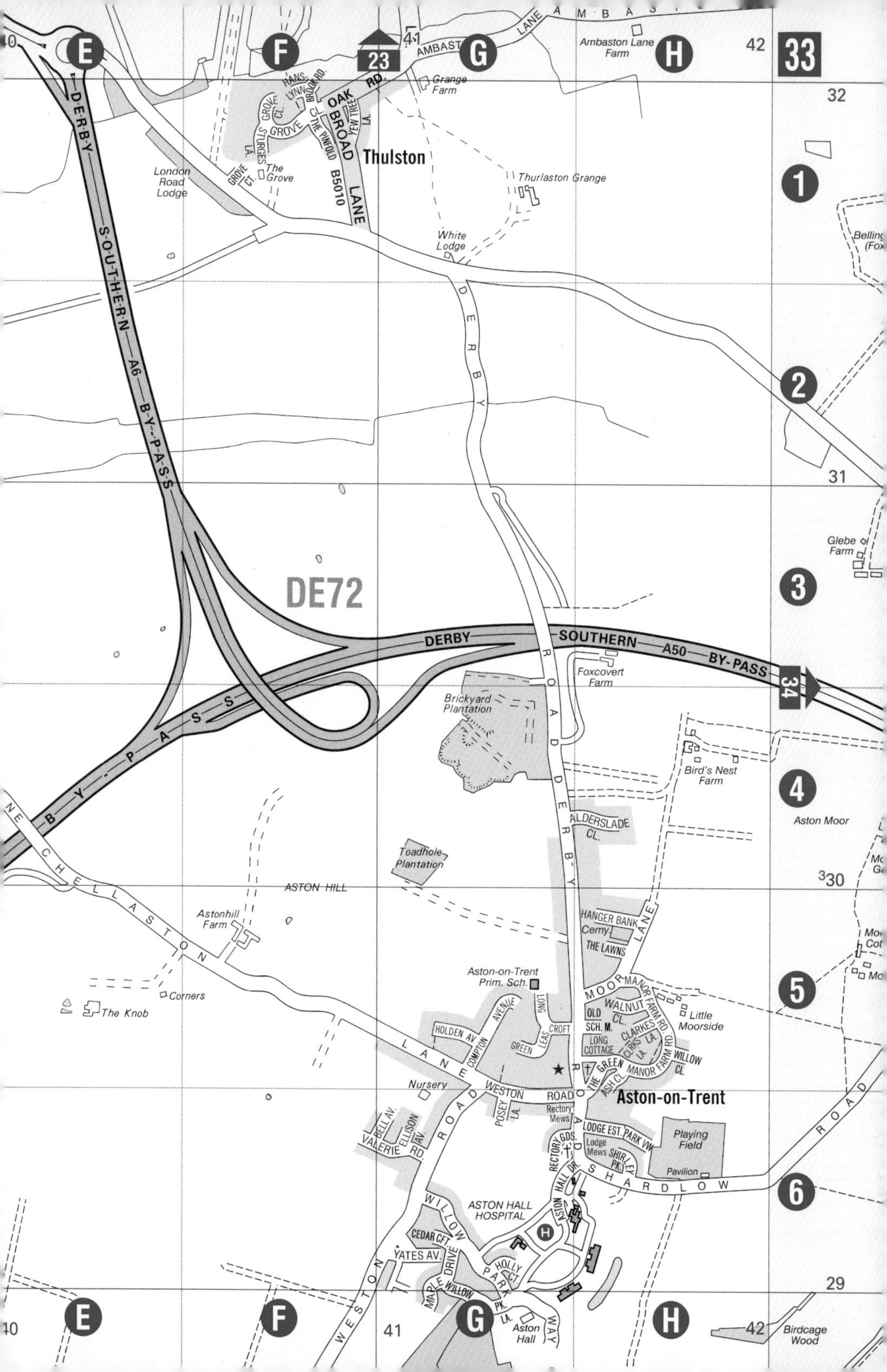

Thulston
Ambaston Lane Farm
Grange Farm
London Road Lodge
The Grove
Thurlaston Grange
White Lodge
DERBY SOUTHERN A6 BY-PASS
DERBY SOUTHERN A50 BY-PASS
DERBY ROAD
DE72
Foxcovert Farm
Brickyard Plantation
Bird's Nest Farm
Glebe Farm
Aston Moor
Toadhole Plantation
ASTON HILL
Astonhill Farm
CHELLASTON LANE
Corners
The Knob
HANGER BANK
Cemy.
THE LAWNS
Aston-on-Trent Prim. Sch.
Little Moorside
Aston-on-Trent
Playing Field
Pavilion
Nursery
WESTON ROAD
SHARDLOW ROAD
ASTON HALL HOSPITAL
Aston Hall
Birdcage Wood

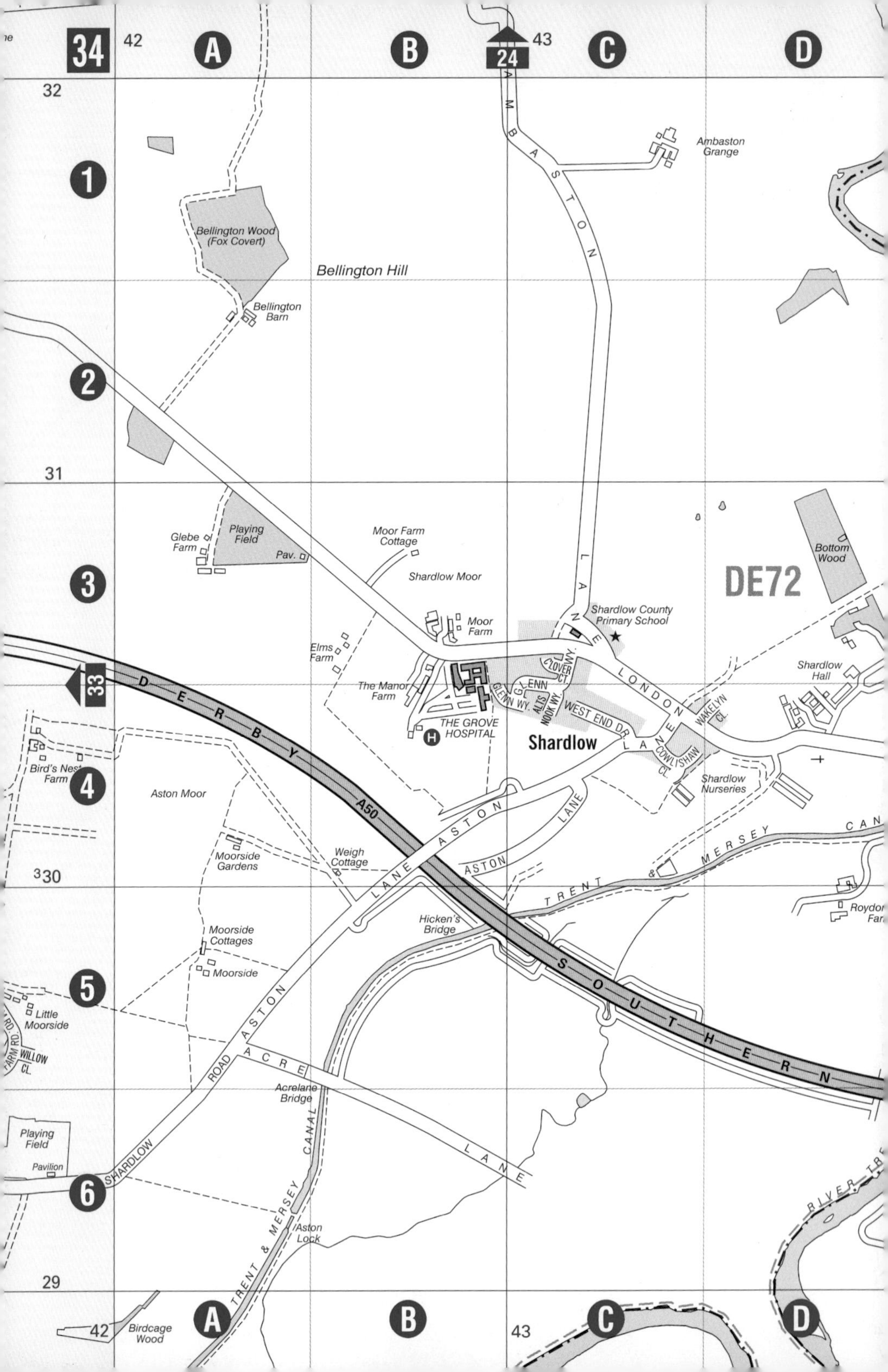

42
A
B
24
43
C
D
32
1
2
3
4
5
6
31
330
29
Ambaston Grange
Bellington Wood (Fox Covert)
Bellington Hill
Bellington Barn
AMBASTON LANE
Glebe Farm
Playing Field
Pav.
Moor Farm Cottage
Shardlow Moor
Moor Farm
Elms Farm
The Manor Farm
THE GROVE HOSPITAL
Shardlow County Primary School
DE72
Bottom Wood
Shardlow Hall
CLOVER CT.
WY.
GLENN WY.
GLENN ALTS
NOOK WY.
WEST END DR.
LONDON
LANE
WAKELYN CL.
COWLISHAW CL.
Shardlow
Shardlow Nurseries
33
DERBY
A50
Bird's Nest Farm
Aston Moor
ASTON LANE
ASTON
Moorside Gardens
Weigh Cottage
TRENT & MERSEY CANAL
Roydon Farm
Hicken's Bridge
Moorside Cottages
Moorside
Little Moorside
FARM RD.
WILLOW CL.
SOUTHERN
ASTON ROAD
ACRE LANE
Acrelane Bridge
Playing Field
Pavilion
SHARDLOW
Aston Lock
RIVER TRENT
Birdcage Wood

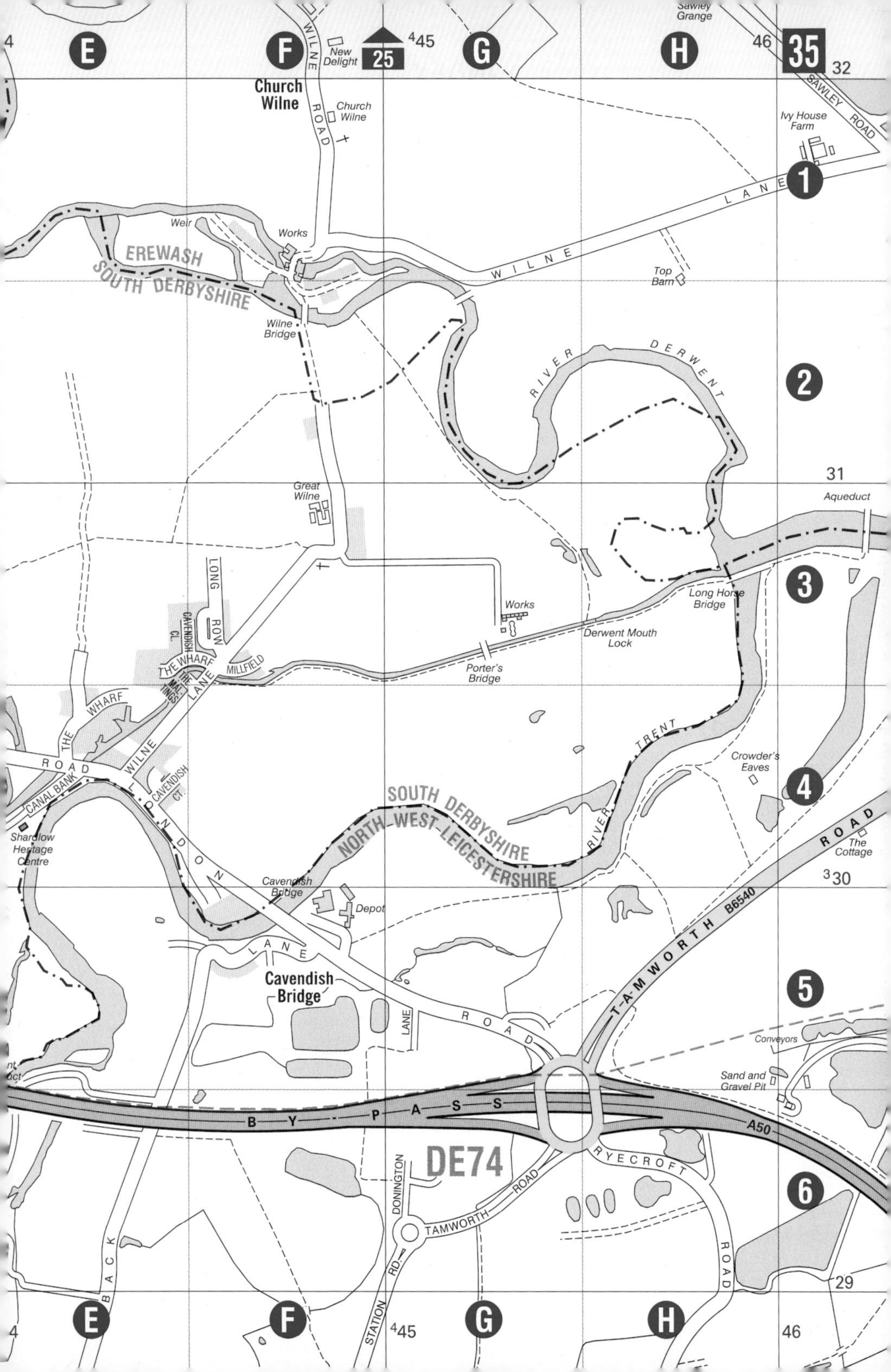
E
F
G
H
4
445
46
32
31
330
29
25
Sawley Grange
New Delight
Church Wilne
Church Wilne
WILNE ROAD
SAWLEY ROAD
Ivy House Farm
WILNE LANE
Weir
Works
EREWASH
SOUTH DERBYSHIRE
Wilne Bridge
Top Barn
RIVER DERWENT
Great Wilne
Aqueduct
LONG ROW
CAVENDISH CL.
THE WHARF
THE MALTINGS
MILLFIELD
Works
Long Horse Bridge
Derwent Mouth Lock
Porter's Bridge
THE WHARF
ROAD
WILNE LANE
CANAL BANK
CAVENDISH CT.
LONDON
Shardlow Heritage Centre
SOUTH DERBYSHIRE
NORTH WEST LEICESTERSHIRE
RIVER TRENT
Crowder's Eaves
The Cottage
Cavendish Bridge
Depot
LANE
Cavendish Bridge
LANE
ROAD
TAMWORTH ROAD B6540
Conveyors
Sand and Gravel Pit
BY-PASS
A50
DE74
DONINGTON
RYECROFT ROAD
TAMWORTH ROAD
STATION RD.
BACK LANE
1
2
3
4
5
6

INDEX

Including Streets, Industrial Estates, Selected Subsidiary Addresses
and Selected Places of Interest.

HOW TO USE THIS INDEX

1. Each street name is followed by its Posttown or Postal Locality and then by its map reference; e.g. Abbeyfields Clo. *Dar A*—5G **7** is in the Darley Abbey Postal Locality and is to be found in square 5G on page **7**. The page number being shown in bold type. A strict alphabetical order is followed in which Av., Rd., St., etc. (though abbreviated) are read in full and as part of the street name; e.g. Aldersgate appears after Alderley Ct. but before Alderslade Clo.

2. Streets and a selection of Subsidiary names not shown on the Maps, appear in the index in *Italics* with the thoroughfare to which it is connected shown in brackets; e.g. *Ashbourne Ho. Spon—5E **15** (off Arnham Ter.)*

3. An example of a selected place of interest is **Allestree Pk. —1F** 7.

4. Map references shown in brackets; e.g. Abbey St. *Der*—6B **12** (6B **2**) refer to entries that also appear on the large scale pages 2 & 3.

GENERAL ABBREVIATIONS

All : Alley
App : Approach
Arc : Arcade
Av : Avenue
Bk : Back
Boulevd : Boulevard
Bri : Bridge
B'way : Broadway
Bldgs : Buildings
Bus : Business
Cvn : Caravan
Cen : Centre
Chu : Church
Chyd : Churchyard
Circ : Circle
Cir : Circus
Clo : Close
Comn : Common
Cotts : Cottages
Ct : Court
Cres : Crescent
Cft : Croft
Dri : Drive
E : East
Embkmt : Embankment
Est : Estate
Fld : Field
Gdns : Gardens
Gth : Garth
Ga : Gate
Gt : Great
Grn : Green
Gro : Grove
Ho : House
Ind : Industrial
Info : Information
Junct : Junction
La : Lane
Lit : Little
Lwr : Lower
Mc : Mac
Mnr : Manor
Mans : Mansions
Mkt : Market
Mdw : Meadow
M : Mews
Mt : Mount
Mus : Museum
N : North
Pal : Palace
Pde : Parade
Pk : Park
Pas : Passage
Pl : Place
Quad : Quadrant
Res : Residential
Ri : Rise
Rd : Road
Shop : Shopping
S : South
Sq : Square
Sta : Station
St : Street
Ter : Terrace
Trad : Trading
Up : Upper
Va : Vale
Vw : View
Vs : Villas
Vis : Visitors
Wlk : Walk
W : West
Yd : Yard

POSTTOWN AND POSTAL LOCALITY ABBREVIATIONS

Altn : Allenton
Alst : Allestree
Alv : Alvaston
Ambtn : Ambaston
Ast T : Aston-on-Trent
Bar T : Barrow-on-Trent
Borr : Borrowash
Boul M : Boulton Moor
Bread : Breadsall
Breas : Breaston
Burna : Burnaston
Cas D : Castle Donington
Chad : Chaddesden
Chel : Chellaston
Cox : Coxbench
Dal A : Dale Abbey
Dar A : Darley Abbey
Der : Derby
Dray : Draycott
Duf : Duffield
Egg : Egginton
Etw : Etwall
Find : Findern
H'ton : Hemington
Hilt : Hilton
Holb : Holbrook (Belper)
H'brk : Holbrook (Sheffield)
Hors : Horsley
Ilk : Ilkeston
Klbrn : Kilburn
Kgswy : Kingsway
Kirk L : Kirk Langley
L Eat : Little Eaton
L'ver : Littleover
Long E : Long Eaton
Lwr K : Lower Kilburn
Mack : Mackworth
Mak : Makeney
Mick : Mickleover
Milf : Milford
M'ly : Morley
Nun : Nuneaton
Oak : Oakwood
Ock : Ockbrook
Pear T : Pear Tree
Pri P : Pride Park
Quar : Quarndon
Ris : Risley
Sand : Sandiacre
Shard : Shardlow
Shel L : Shelton Lock
Sin : Sinfin
Smal : Smalley
Spon : Spondon
Stan : Stanley
Stan D : Stanton-by-Dale
Sten F : Stenson Fields
Sun : Sunnyhill
Swar : Swarkestone
Thul : Thulston
Thurl : Thurlaston
W Mead : West Meadows Ind. Est.
Wstn T : Weston-on-Trent

INDEX

Abbeydale Wlk. Alv —5D 22 (off Elvaston La., in two parts)
Abbeyfields Clo. *Dar A* —5G **7**
Abbey Hill. *Alst & Bread* —4G **7**
Abbey Hill Rd. *Alst* —5D **6**
Abbey La. *Dar A* —6G **7**
Abbey St. *Der* —6B **12** (6B **2**)
Abbey Yd. *Dar A* —6G **7**
Abbot Clo. *Oak* —5C **8**
Abbot M. *Dar A* —6G **7**
Abbotts Barn Clo. *Der* —5B **12** (5B **2**)
Aberdare Clo. *Oak* —5F **9**
Abingdon Bus. Cen. *Der* —2E **21**
Abingdon St. *Der* —4D **20**
Abney Clo. *Mick* —1D **18**
Acacia Av. *Mick* —2C **18**
Acer Cft. *Oak* —5C **8**
Acorn Clo. *Shel L* —2G **31**
Acorn Way. *Der* —6G **9**
Acrefield Way. *Chel* —3B **32**
Acre La. *Shard* —5A **34**
Acton Rd. *Der* —3D **10**
Addison Rd. *Der* —3D **20**
Adelaide Clo. *Mick* —5C **10**
Adelphi Clo. *L'ver* —5E **19**
Adler Ct. *Der* —2D **12**
Adrian St. *Der* —5F **21**
Adwick Clo. *Mick* —1A **18**
Agard St. *Der* —3B **12** (2A **2**)
Aimploy Ct. *Der* —2C **20**
Ainley Clo. *Alv* —4H **21**
Ainsworth Dri. *Der* —4A **20**
Airedale Wlk. *Alv* —5C **22**
Albany Rd. *Der* —5G **11**
Albemarle Rd. *Chad* —2B **14**
Albert Cres. *Chad* —5B **14**
Albert Rd. *Breas* —4F **25**
Albert Rd. *Chad* —4H **13**
Albert St. *Der* —4C **12** (4D **2**)
Albion St. *Der* —4C **12** (4D **2**)
Albrighton Av. *Sten F* —3H **29**
Alder Clo. *Oak* —4C **8**
Alderfen Clo. *Shel L* —2F **31**
Alderley Ct. *Oak* —5E **9**
Aldersgate. *Der* —2D **10**
Alderslade Clo. *Ast T* —4H **33**
Aldersley Clo. *Find* —4A **28**
Alder Wlk. *Der* —6C **12**
Aldwych. *Der* —3E **11**
Alexandra Gdns. *Der* —1D **20**
Alexandre Clo. *L'ver* —5H **19**
Alfreton Rd. *Bread & L Eat* —4A **8** (6F **5**)
Alfreton Rd. *Der* —1D **12**
Alice St. *Der* —3D **12** (2E **3**)
Alison Clo. *Chad* —2H **13**
Allan Av. *L'ver* —3C **18**
Allen St. *Altn* —6G **21**
Allestree Clo. *Der* —3G **21**
Allestree La. *Der* —5D **6**
Allestree Pk. —1F 7
Allestree Pk. Golf Course. —2E 7
Allestree St. *Der* —3G **21**
All Saints Ct. *Mick* —2B **18**
Alma Heights. *Mick* —2C **18**
Alma St. *Der* —5B **12** (5B **2**)
Almond St. *Der* —1B **20**
Almshouses. *Etw* —1B **26**
Alsager Clo. *Oak* —6E **9**
Alstonfield Dri. *Alst* —6E **7**
Alton Clo. *Alst* —4D **6**
Alts Nook Way. *Shard* —4C **34**
Alum Clo. *Alv* —4C **22**
Alvaston Pk. Homes. *Der* —2A **22**
Alvaston St. *Alv* —3B **22**

Alverton Clo. *Mick* —2A **18**
Alward's Clo. *Alv* —5A **22**
Alward's Ct. *Alv* —5A **22**
Ambaston La. *Thul & Shard* —6G **23**
Amberley Dri. *Sin* —6B **20**
Amber Rd. *Alst* —6D **6**
Amber St. *Der* —4E **21**
Ambervale Clo. *L'ver* —5E **19**
Ambrose St. *Der* —6C **12**
Ambrose Ter. *Der* —4A **12**
Amen All. *Der* —4C **12** (3C **2**)
Amesbury La. *Oak* —5C **8**
Amy St. *Der* —5A **12**
Anchor Fold. *Der* —1C **20**
Anderson St. *Alv* —4H **21**
Andrew Clo. *L'ver* —4C **18**
Anglers' La. *Spon* —6E **15**
Anglesey St. *Der* —1F **13**
Anne Potter Clo. *Ock* —4B **16**
Anstey Ct. *Oak* —6E **9**
Anthony Cres. *Alv* —5H **21**
Anthony Dri. *Alv* —5H **21**
Antony Ct. *Spon* —4E **15**
Appian Clo. *Borr* —2A **24**
Appian Way. *Alv* —5D **22**
(in two parts)
Appleby Ct. *Der* —6A **12**
Applecross Ct. *Sin* —2H **29**
Appledore Dri. *Oak* —6F **9**
Applegate Clo. *Oak* —4F **9**
Applemead Clo. *Der* —5C **8**
Appleton Clo. *Chad* —2A **14**
Appletree Clo. *Borr* —2A **24**
Arbor Clo. *Der* —5B **12** (6B **2**)
Arboretum Ho. *Der* —6D **12**
Arboretum Sq. *Der* —6D **12**
Arboretum St. *Der* —6D **12**
Archer St. *Der* —1G **21**
Arden Clo. *Der* —1A **20**
Ardleigh Clo. *Mick* —3B **18**
Argyle St. *Der* —6B **12**
Argyll Clo. *Spon* —4F **15**
Arkendale Wlk. *Alv* —5C **22**
Arkle Grn. *Sin* —1A **30**
Arkwright St. *Der* —4E **21**
Arleston La. *Der & Sten F* —5H **29**
Arleston St. *Der* —4B **20**
Arlington Dri. *Alv* —5H **21**
Arlington Rd. *Der* —2H **19**
Armscote Clo. *Oak* —5F **9**
Arnhem Ter. *Spon* —5E **15**
Arnold St. *Der* —4H **11**
Arran Clo. *Sin* —2A **30**
Arreton Ct. *Alv* —6C **22**
Arridge Rd. *Chad* —2H **13**
Arthur Ct. *Der* —1D **20**
Arthur Hind Clo. *Der* —2A **12**
Arthur Neal Ho. *Der* —3F **11**
Arthur St. *Der* —2C **12** (1C **2**)
Arthur St. *Dray* —3D **24**
Arundel Av. *Mick* —1D **18**
Arundel Dri. *Spon* —4F **15**
Arundel St. *Der* —6H **11**
Ascot Dri. *Der* —4F **21**
Ashborne Rd. *Der* —2D **10**
Ashbourne Ct. *Der* —4A **12**
*Ashbourne Ho. Spon —5E **15***
(off Arnhem Ter.)
Ashbourne Rd. *Kirk L & Mack* —1B **10**
Ashbrook Av. *Borr* —1A **24**
Ashbrook Clo. *Alst* —4C **6**
Ashby St. *Altn* —5G **21**
Ash Clo. *Alst* —3D **6**
Ash Clo. *Ast T* —5H **33**
Ashcombe Gdns. *Oak* —6F **9**
Ashcroft Clo. *Alv* —4H **21**
Ashe Pl. *Der* —2B **20**
Ashfield Av. *Chad* —1G **13**
Ashgrove Ct. *Oak* —6F **9**
Ash Gro. La. *Egg* —6C **26**
Ashleigh Dri. *Chel* —3H **31**
Ashley St. *Der* —4G **11**
Ashlyn Rd. *W Mead* —4E **13** (4G **3**)
Ashmeadow. *Borr* —2H **23**
Ashopton Av. *Der* —3B **20**
Ashover Clo. *Chad* —1H **13**
Ashover Rd. *Alst* —5D **6**
Ashover Rd. *Chad* —1G **13**
Ashton Clo. *Mick* —6A **10**
Ashtree Av. *Der* —5D **20**
Ash Tree Clo. *Bread* —3C **8**
Ash Tree Clo. *Duf* —1B **4**
Ash Vw. Clo. *Etw* —1B **26**
Ashwater Clo. *Sin* —3B **30**
Ashworth Av. *Chad* —4H **13**
Ashworth Wlk. *Chad* —4H **13**
Askerfield Av. *Alst* —3C **6**
Aspen Dri. *Spon* —5B **14**
Assembly Rooms. —3D 2
Asterdale Vw. *Spon* —5F **15**
Aston Clo. *Chel* —5A **32**
Aston Hall Dri. *Ast T* —6G **33**
Aston La. *Chel* —4B **32**
Aston La. *Shard* —5A **34**
(in two parts)
Aston Rd. *L'ver* —6G **19**
Astorville Pk. Rd. *Chel* —3H **31**
Atchison Gdns. *Chad* —2B **14**
Atherfield Wlk. *Alv* —6C **22**
Athlone Clo. *Der* —1F **13**
Athol Clo. *Sin* —1A **30**
Atlow Rd. *Chad* —2G **13**
Attewell Clo. *Dray* —4F **25**
Attlebridge Clo. *Der* —1F **13**
Atworth Gro. *L'ver* —5D **18**
Auckland Clo. *Mick* —6D **10**
Audley Cen. *Der* —4C **12** (4D **2**)
Audrey Dri. *Chad* —1A **14**
Augusta St. *Der* —1D **20**
Aults Clo. *Find* —4A **28**
Austen Av. *L'ver* —3F **19**
Austin Sq. *Der* —4B **20**
Autumn Gro. *Chad* —4H **13**
Avenue Rd. *Duf* —1B **4**
Avenue, The. *Chad* —4H **13**
Avenue, The. *Der* —5C **12** (6D **2**)
Averham Clo. *Oak* —6F **9**
Aviemore Way. *Sin* —1A **30**
(in two parts)
Avocet Ct. *Sin* —1H **29**
Avon Clo. *Sten F* —3H **29**
Avondale Rd. *Der* —6C **12**
Avondale Rd. *Spon* —3D **14**
Avonmouth Dri. *Alv* —3G **21**
Avon St. *Der* —3G **21**
Aycliffe Gdns. *Alv* —6H **21**
Aylesbury Av. *Chad* —2H **13**
Ayr Clo. *Spon* —5D **14**

Babbacombe Clo. *Alv* —4C **22**
Babington La. *Der* —5C **12** (6C **2**)
(in two parts)
Back La. *Cas D & Shard* —1E **35**
Back La. *Chel* —4A **32**
Bk. Sitwell St. *Der* —5C **12** (5D **2**)
*Baconsfield Ho. Chad —5B **14***
(off Coleraine Clo.)
Badger Clo. *Spon* —3F **15**
Bagshaw St. *Der* —3G **21**
Bailey St. *Der* —6B **12**
Bainbrigge St. *Der* —6C **12**
Bains Dri. *Borr* —2B **24**
Bakeacre La. *Find* —3B **28**
Bakehouse La. *Ock* —4H **15**
Bakers La. *Der* —5C **12** (6C **2**)
Baker St. *Alv* —3H **21**
Bakewell Clo. *Mick* —6C **10**
Bakewell St. *Der* —5B **12** (5A **2**)
Balaclava Rd. *Der* —3C **20**
Balfour Rd. *Der* —3C **20**
Balham Wlk. *Der* —3E **11**
Ballards Way. *Borr* —2B **24**
Ballater Clo. *Sin* —1A **30**
Balleny Clo. *Oak* —6D **8**
Ball La. *Thurl* —6G **23**
Balmoral Clo. *L'ver* —1F **19**
Balmoral Rd. *Borr* —2A **24**
Bamburgh Clo. *Spon* —5D **14**
Bamford Av. *Der* —3A **20**
Bancroft Dri. *Alst* —3C **6**
Bancroft, The. *Etw* —1B **26**
Bangor St. *Der* —1G **13**
Bank Ct. *Der* —1A **12**
Bankfield Dri. *Spon* —5F **15**
Bankholmes Clo. *Sten F* —3A **30**
Bank Side. *Dar A* —5E **7**
Bank Vw. Rd. *Der* —1B **12**
Bannels Av. *L'ver* —4F **19**
Banwell Clo. *Mick* —6A **10**
Barcheston Clo. *Oak* —5F **9**
Barden Dri. *Alst* —5F **7**
Bardsey Ct. *Oak* —4F **9**
Bare La. *Ock* —4A **16**
Barf Clo. *Mick* —2C **18**
Barley Clo. *L Eat* —6F **5**
Barleycorn Clo. *Oak* —5G **9**
Barley Cft. *Chel* —4H **31**
Barlow St. *Der* —6D **12**
Barnard Rd. *Der* —5B **8**
Barn Clo. *Find* —3B **28**
Barn Clo. *Quar* —1C **6**
Barn Cft. *Der* —2G **19**
Barnes Grn. *Der* —2F **11**
Barnhill Gro. *L'ver* —4E **19**
Barnstaple Clo. *Oak* —5E **9**
Barnwood Clo. *Mick* —1A **18**
Baron Clo. *Oak* —4H **9**
Barrett St. *Alv* —4A **22**
Barrie Dri. *Sin* —6B **20**
Barrons Way. *Borr* —2A **24**
Barton Clo. *Spon* —3F **15**
Basildon Clo. *Alv* —6H **21**
Baslow Dri. *Alst* —4F **7**
Bassingham Clo. *Oak* —6F **9**
Bass St. *Der* —3H **11**
Bateman St. *Der* —1E **21**
Bath Rd. *Mick* —1C **18**
Bath St. *Der* —2C **12** (1C **2**)
Baverstock Clo. *Chel* —2H **31**
Baxter Sq. *Der* —5B **20**
Bayleaf Cres. *Oak* —4F **9**
Bayswater Clo. *Der* —3D **10**
Beamwood Clo. *Oak* —6D **8**
Beardmore Clo. *Oak* —6C **8**
Beatty St. *Alv* —3H **21**
Beaufort Ct. Ind. Est. *Der* —1E **13**
Beaufort Gdns. *Der* —2F **13**
Beaufort Rd. *Sten F* —3G **29**
Beaufort St. *Der* —1F **13**
Beaumaris Ct. *Spon* —4F **15**
Beaumont Wlk. *Der* —5A **20**
Beaureper Av. *Alst* —4E **7**
Becher St. *Der* —2C **20**
Beckenham Way. *Der* —3F **11**
Becket St. *Der* —4B **12** (4B **2**)
Becketwell La. *Der* —4C **12** (4C **2**)
Beckitt Clo. *Alv* —3A **22**
Bedford Clo. *Der* —6H **11**
Bedford St. *Der* —5H **11**
Beech Av. *Alv* —3B **22**
Beech Av. *Borr* —6A **16**
Beech Ct. *Spon* —4D **14**
Beechcroft. *Bread* —3B **8**
Beech Dri. *Der* —1B **12**
Beech Dri. *Etw* —1C **26**
Beech Dri. *Find* —4C **28**
Beeches Av. *Spon* —4D **14**
Beech Gdns. *Alv* —4B **22**
Beechley Dri. *Oak* —6F **9**
Beech Wlk. *L'ver* —2H **19**
Beechwood Cres. *L'ver* —2G **19**
Beeley Clo. *Alst* —5D **6**
Beeley Clo. *Chad* —5D **8**
Belfast Wlk. *Chad* —5A **14**
Belfield Ct. *Etw* —2B **26**
Belfield Rd. *Etw* —2B **26**
Belfield Ter. *Etw* —2C **26**
Belfry Clo. *Mick* —2D **18**
Belgrave St. *Der* —6C **12**
Bell Av. *Ast T* —6G **33**
Belle Vue Ter. *Borr* —2H **23**
Bellingham Ct. *Alst* —5C **6**
Belmont Dri. *Borr* —1H **23**
Belper Ho. *Spon* —6E **15**
Belper Rd. *Der* —1B **12**
Belper Sports Cen. —5F 13
Belsize Clo. *Der* —3D **10**
Belvedere Clo. *Mick* —5B **10**
Belvoir Clo. *Breas* —4H **25**
Belvoir St. *Der* —2B **20**
Bembridge Dri. *Alv* —6C **22**
Bemrose M. *Der* —5G **11**
Bemrose Rd. *Altn* —4G **21**
Bendall Grn. *L'ver* —6G **19**
Benmore Ct. *Oak* —4F **9**
Bennett St. *Altn* —6F **21**
Bensley Clo. *Chel* —4A **32**
Benson St. *Alv* —4H **21**
Bentley St. *Altn* —5G **21**
Beresford Dri. *Spon* —5E **15**
Berkeley Clo. *L'ver* —4H **19**
Berkshire St. *Der* —1F **13**
Bermuda Av. *L Eat* —1A **8**
Berry Pk. Clo. *Alst* —6E **7**
Berwick Av. *Der* —2E **13**
Berwick Clo. *Alv* —6B **22**
Berwick Dri. *Sten F* —2H **29**
Besthorpe Clo. *Oak* —6F **9**
Bethulie Rd. *Der* —3C **20**
Betjeman Sq. *Sin* —6C **20**
Beverley St. *Der* —1F **21**
Bewdley Clo. *Chel* —2A **32**
Bexhill Wlk. *Der* —6C **8**
Bicester Av. *Sten F* —3G **29**
Bickley Moss. *Oak* —6F **9**
Bideford Dri. *Sun* —5H **19**
Bingham St. *Altn* —5G **21**
Binscombe La. *Oak* —4C **8**
Birch Clo. *Spon* —3G **15**
Birches Rd. *Alst* —4D **6**
Birchfield Clo. *Chel* —3H **31**
Birchover Ho. *Dar A* —4F **7**
Birchover Ho. *Der* —1H **11**
Birchover Ri. *Chad* —6D **8**
Birchover Way. *Alst* —6C **6**
Birchwood Av. *L'ver* —5H **19**
Birdcage Wlk. *Der* —3C **10**
(in two parts)
Birdwood St. *Der* —2B **20**
Birkdale Clo. *Mick* —1E **19**
Biscay Ct. *Oak* —5G **9**
Bishop's Dri. *Oak* —5B **8**
Blaby Clo. *Sun* —5A **20**
Blackmore St. *Der* —4B **20**
Blackmount Ct. *Sin* —2H **29**
Blackthorn Clo. *Oak* —5C **8**
Blagreaves Av. *L'ver* —6G **19**
Blagreaves La. *L'ver* —4G **19**
Blakebrook Dri. *Chel* —2A **32**
Blakelow Dri. *Etw* —2B **26**
Blakeney Ct. *Oak* —6G **9**
Blandford Clo. *Alv* —5D **22**
Blankney Clo. *Sten F* —3H **29**
Blencathra Dri. *Mick* —3C **18**
Blenheim Dri. *Alst* —4C **6**
Blenheim M. *Etw* —1C **26**
Blenheim Pde. *Alst* —3D **6**
Blind La. *Breas* —3H **25**
Blithfield Gdns. *Chel* —3A **32**
Bloomfield Clo. *Der* —6D **12**
Bloomfield St. *Der* —6D **12**
Bluebell Clo. *Sten F* —3G **29**
Bluebird Clo. *Sin* —1H **29**
Blue Mountains. *Duf* —5E **5**
Blyth Pl. *Der* —6B **8**
Boden St. *Der* —1D **20**
Bodmin Clo. *Sten F* —2H **29**
Bodmin Grn. *Alv* —5B **22**
Bold La. *Der* —4C **12** (3C **2**)
Bonchurch Clo. *Alv* —6C **22**
Bonnyrigg Dri. *Oak* —5E **9**
Bonsall Av. *Der* —2H **19**
Bonsall Dri. *Mick* —6C **10**
Booth St. *Alv* —4H **21**
Border Cres. *Alv* —6A **22**
Borrowash Bri. *Borr* —3G **23**
Borrowash By-Pass. *Spon & Borr* —5D **14**
Borrowash La. *Thurl* —5G **23**
Borrowash Rd. *Spon* —6F **15**
Borrowfield Rd. *Spon* —6E **15**
Borrowfields. *Borr* —2H **23**
Boscastle Rd. *Alv* —5B **22**
Boston Clo. *Chad* —3C **14**
Boswell Sq. *Der* —4B **20**
Bosworth Av. *Sun* —5A **20**
Boulton Dri. *Alv* —5A **22**

Boulton La. Der —6G 21
(in two parts)
Boundary Rd. Der —5A 12
Boundary Rd. Etw —5C 26
Bourne Sq. Breas —3H 25
Bourne St. Der —5C 12 (6D 2)
Bowbank Clo. L'ver —5E 19
Bowbridge Av. L'ver —6G 19
Bower St. Der —3H 21
Bowland Clo. Mick —2C 18
Bowlees Ct. L'ver —4C 18
Bowmer Rd. Der —2G 21
Boxmoor Clo. L'ver —4D 18
Boyd Gro. Chel —5A 32
Boyer St. Der —6A 12
Boyer Wlk. Der —6B 12
Boylestone Rd. L'ver —6G 19
Brackens Av. Alv —5H 21
Brackensdale Av. Der —4F 11
Bracken's La. Alv —5G 21
Brackley Dri. Spon —4E 15
Bracknell Dri. Alv —6H 21
Bradbourne Ct. Der —6A 12
Bradbury Clo. Borr —2A 24
Bradgate Ct. Der —5A 20
Brading Clo. Alv —6D 22
Bradley St. Der —1A 12
Bradmoor Gro. Chel —3A 32
Bradshaw Retail Pk. Der —5C 12 (6D 2)
Bradshaw Way. Der —5D 12 (6E 3)
Bradwell Clo. Mick —2C 18
Braemar Clo. Sten F —2H 29
Brailsford Rd. Chad —1G 13
Braintree Clo. Der —5B 8
Braithwell Clo. Alst —5F 7
Brambleberry Ct. Oak —4F 9
Bramble M. Mick —2B 18
Bramble St. Der —4B 12 (4B 2)
Bramblewick Dri. L'ver —5E 19
Bramfield Av. Der —6A 12
Bramfield Ct. Der —6A 12
Bramley Clo. Oak —4G 9
Brampton Clo. Mick —6A 10
Brandelhow Ct. Oak —4F 9
Branksome Av. Alv —4C 22
Brassington Rd. Chad —6D 8
Brayfield Av. L'ver —3H 19
Brayfield Rd. L'ver —3G 19
Breaston La. Ris —6H 17
Brecon Clo. Spon —3E 15
Breedon Av. L'ver —6H 19
Breedon Hill Rd. Der —6B 12
Brentford Dri. Der —3F 11
Bretby Sq. L'ver —6G 19
Bretton Av. L'ver —1G 19
Breydon Clo. Shel L —1F 31
Briar Clo. Borr —1A 24
Briar Clo. Chad —5B 14
Briar Lea Clo. Sin —1B 30
Briarsgate. Alst —5D 6
Briars La. Der —4E 19
(in two parts)
Briarwood Way. L'ver —5G 19
Brick Row. Dar A —6G 7
Brick St. Der —3A 12
Bridge Fld. Breas —4G 25
Bridge Ga. Der —3C 12 (1C 2)
Bridgend Ct. Oak —4G 9
Bridgeness Rd. L'ver —5D 18
Bridgeport Rd. Chad —3C 14
Bridge St. Der —3B 12 (2A 2)
(in two parts)
Bridgwater Clo. Alv —4C 22
Bridle Clo. Chel —5A 32
Brierfield Way. Mick —2C 18
Brigden Av. Altn —4G 21
Brighstone Clo. Alv —6C 22
Brighton Rd. Alv —2H 21
Bright St. Der —4G 11
Brigmor Wlk. Der —4H 11
Brindley Ct. Altn —5G 21
Brindley Wlk. Sten F —3A 30
Brisbane Rd. Mick —5C 10
Briset Clo. Sten F —3A 30
Bristol Dri. Mick —1C 18
Britannia Ct. Der —3C 12
(in two parts)
Broad Bank. Der —1A 12
Broadfields Clo. Der —1B 12
Broad La. Thul —1F 33
Broadleaf Clo. Oak —5C 8
Broadstone Clo. Chad —6E 9
Broadway. Der —1H 11
Broadway. Duf —3A 4
Broadway Pk. Clo. Der —1A 12
Brockley. Spon —4E 15
Bromley St. Der —2A 12
Brompton Rd. Der —3D 10
(in two parts)
Bromyard Dri. Chel —2A 32
Bronte Pl. L'ver —3F 19
Brook Clo. Find —4B 28
Brook Clo. Quar —3C 6
Brookfield Av. Chad —1B 14
Brookfield Av. Sun —5H 19
Brookfields Dri. Bread —3B 8
Brook Gdns. Der —3A 12
Brookhouse St. Altn —6F 21
Brooklands Dri. L'ver —3G 19
Brook Rd. Borr —2A 24
Brook Rd. Thul —1F 33
Brooks Hollow. L Eat —6F 5
Brookside Clo. Der —2A 12
Brookside Rd. Bread —3B 8
Brook St. Der —3B 12 (1A 2)
Brook Wlk. Der —3B 12 (2A 2)
Broom Clo. Chel —3H 31
Broom Clo. Duf —3A 4
Broom Clo. Sten F —3H 29
Broomhill Clo. Mick —6B 10
Brough St. Der —4H 11
Broughton Av. Der —2H 19
Browning Circ. Der —4B 20
Browning St. Der —5B 20
Brun La. Mack —1A 10
Brunswick St. Der —2B 20
Brunswood Clo. Spon —4E 15
Brunton Clo. Mick —2A 18
Bryony Clo. Oak —5E 9
Buchanan St. Der —3C 12 (1C 2)
Buchan St. Der —4F 21
Buckford La. Find —5C 28
Buckingham Av. Der —1F 13
Buckland Clo. Der —3A 12
Buckminster Clo. Oak —5D 8
Buller St. Der —1A 20
Bullpit La. Duf —6D 4
Bunting Clo. Mick —6E 11
Burbage Pl. Alv —4H 21
Burdock Clo. Oak —5C 8
Burghley Clo. Chel —3H 31
Burghley Way. L'ver —5C 18
Burleigh Dri. Der —1B 12
Burley La. Quar —1D 6
Burlington Clo. Breas —3H 25
Burlington Rd. Der —3D 10
Burlington Way. Mick —2B 18
Burnaby St. Der —3H 21
Burnage Ct. Der —5B 12 (6A 2)
Burnham Dri. Mick —1A 18
Burns Clo. L'ver —3F 19
Burnside Clo. Sten F —2H 29
Burnside Dri. Spon —5F 15
Burnside St. Der —3A 22
Burrowfield M. Der —1F 23
Burrows Wlk. Der —5C 12 (5D 2)
Burton Rd. L'ver —2F 19
Bute Wlk. Der —2E 13
Buttermere Dri. Alst —4E 7
Butterwick Clo. Sun —6A 20
Buttonoak Dri. Chel —2A 32
Buxton Dri. L Eat —4G 5
Buxton Dri. Mick —6C 10
Buxton Ho. Spon —5E 15
(off Arnhem Ter.)
Buxton Rd. Chad —6D 8
Byfield Clo. Oak —5F 9
Byng Av. Der —4B 20
Byron St. Der —1B 20

Cadgwith Dri. Der —4E 7
Cadwell Clo. Alv —5D 22
Caerhays Ct. Sten F —2H 29
Caernarvon Clo. Spon —4F 15
Caesar St. Der —2D 12
Cairngorm Dri. Sin —2H 29
Cairns Clo. Mick —6C 10
Calder Clo. Alst —4E 7
Caldermill Dri. Oak —5E 9
California Gdns. Der —5G 11
Callow Hill. L'ver —5E 19
Callow Hill Way. L'ver —4D 18
Calver Clo. Oak —4C 8
Calverton Clo. Shel L —2G 31
Calvert St. Der —5E 13 (6G 3)
Calvin Clo. Alv —6A 22
Camberwell Av. Der —3E 11
Cambourne Clo. Der —6C 8
Cambridge St. Der —1C 20
Cambridge St. Spon —5E 15
Camden St. Der —5H 11
Camellia Clo. Mick —6B 10
Cameron Rd. Der —3B 20
Campbell St. Der —4F 21
Campion St. Der —4H 11
Campsie Ct. Sin —2H 29
Camp St. Der —2C 12
(in two parts)
Camp Wood Clo. L Eat —1A 8
Canal Bank. Shard —4E 35
Canal Side. Chel —2G 31
Canal St. Der —5D 12 (6F 3)
Canberra Clo. Mick —1C 18
Canon's Wlk. Dar A —5F 7
Canterbury Clo. Duf —3A 4
Canterbury St. Chad —6C 8
Cantley Clo. Shel L —2F 31
Cardales Clo. Find —3B 28
Cardean Clo. Der —2D 12
Cardigan St. Der —2E 13
Cardinal Clo. Oak —5D 8
Cardrona Clo. Oak —5D 8
Carisbrooke Gdns. L'ver —5G 19
Carlin Clo. Breas —3H 25
Carlisle Av. L'ver —3F 19
Carlton Av. Shel L —1G 31
Carlton Dri. Shel L —2G 31
Carlton Gdns. Shel L —1G 31
Carlton Rd. Der —2H 19
Carlton Wlk. Alv —3A 22
Carlyle St. Sin —6B 20
Carnegie St. Der —3C 20
Carnforth Clo. Mick —2C 18
Carnoustie Clo. Mick —1D 18
Carol Cres. Chad —4H 13
Caroline Clo. Alv —4D 22
Carriers Rd. Egg —6C 26
Carrington St. Der —5D 12 (6F 3)
(in two parts)
Carron Clo. Sin —1A 30
Carsington Cres. Alst —5D 6
Carsington Ho. Alst —5D 6
Carsington M. Alst —6E 7
Carson Rd. Chad —3B 14
Carter St. Altn —5F 21
Cascade Gro. L'ver —4E 19
Casson Av. Alv —5A 22
Castings Rd. Der —3D 20
Castle Clo. Borr —1B 24
Castle Ct. Thul —6F 23
(in two parts)
Castlecraig Ct. Sin —3A 30
Castle Cft. Alv —6D 22
Castlefields Main Cen. Der —5C 12 (5E 3)
Castle Hill. Duf —2B 4
Castle Hill. Find —4B 28
Castle Ho. Flats. Der —5E 13 (5G 3)
Castle Orchard. Duf —2B 4
Castleshaw Dri. L'ver —4C 18
Castle St. Der —5D 12 (5E 3)
Castleton Av. Der —3B 20
Castle Vw. Duf —2B 4
Castle Wlk. Der —5D 12 (5E 3)
Cathedral Rd. Der —3B 12 (2B 2)
Cathedral Vw. Der —1H 19
Catherine McAuley Houses. Der —1B 12
Catherine St. Der —1D 20
Catterick Dri. Mick —2A 18
Causeway. Dar A —5E 7
Causey Bri. Der —3C 12 (2D 2)
Cavan Dri. Chad —5B 14
Cavendish Av. Alst —4F 7
Cavendish Clo. Duf —4A 4
Cavendish Clo. Shard —3E 35
Cavendish Ct. Der —3B 12 (2B 2)
Cavendish Ct. Shard —4E 35
Cavendish St. Der —4B 12 (3B 2)
Cavendish Way. Mick —1C 18
Caversfield Clo. L'ver —3E 19
Caxton St. Der —4A 20
Cecil St. Der —4H 11
Cedar Cft. Ast T —6G 33
Cedar Dri. Ock —5A 16
Cedar St. Der —2A 12
Cedarwood Ct. Oak —5C 8
Celandine Clo. Oak —5D 8
Celanese Rd. Der —6C 14
Central Av. Borr —2H 23
Centre Ct. Der —6D 12
Centurion Wlk. Der —1C 12
Chaddesden. Der —3A 14
Chaddesden La. Der —3H 13
Chaddesden La. End. Der —4H 13
Chaddesden Pk. —3A 14
Chaddesden Pk. Rd. Der —3G 13
Chadfield Rd. Duf —1B 4
Chadwick Av. Altn —6G 21
Chaffinch Clo. Spon —3F 15
Chain La. Mick & L'ver —1E 19
(in two parts)
Chalfont Sq. Oak —5F 9
Chalkley Clo. Alv —4H 21
Challis Av. Chad —2B 14
Chambers St. Der —3G 21
Champion Hill. Duf —2B 4
Chancel Pl. Der —6B 12
Chancery La. Der —3E 11
Chandlers Ford. Oak —6D 8
Chandos Pole St. Der —3H 11
Chandres Ct. Alst —3E 7
Chantry Clo. Mick —2B 18
Chapel La. Chad —2A 14
Chapel La. Chel —4A 32
Chapel La. Der —5D 12 (6F 3)
Chapel La. Spon —3E 15
Chapel Row. Borr —1H 23
Chapel Row. L'ver —2G 19
Chapel Side. Spon —4E 15
Chapel St. Der —3C 12 (2B 2)
Chapel St. Duf —3C 4
Chapel St. Spon —4D 14
Chapman Av. Alv —5B 22
Chapter Clo. Oak —5B 8
Charing Ct. Der —2D 12 (1E 2)
Charingworth Rd. Oak —5F 9
Chariot Clo. Alv —6D 22
Charlbury Clo. L'ver —3E 19
Charles Av. Spon —3D 14
Charles Rd. Alv —2H 21
Charleston Rd. Chad —3C 14
Charlestown Dri. Alst —3D 6
Charlotte St. Der —1C 20
Charnwood Av. Borr —1A 24
Charnwood Av. L'ver —6H 19
Charnwood St. Der —6C 12
Charterhouse Clo. Oak —4C 8
Charterstone La. Alst —3E 7
Chartwell Dri. W Mead —4E 13 (3H 3)
Chase Clo. Chel —3B 32
Chase, The. L Eat —4G 5
Chase, The. Sin —1B 30
Chatham St. Der —3C 20
Chatsworth Ct. Sin —1B 30
Chatsworth Cres. Alst —4F 7
Chatsworth Dri. L Eat —4G 5
Chatsworth Dri. Mick —6C 10
Chatsworth St. Der —2A 20
Chatteris Dri. Der —6B 8
Chaucer Ter. Der —4B 20
Cheadle Clo. L'ver —2F 19
Cheam Clo. Der —3C 10
Cheapside. Der —4C 12 (3C 2)
Chedworth Dri. Alv —5D 22
Chellaston La. Ast T —4C 32
Chellaston Pk. Ct. Chel —4H 31

Chellaston Rd. *Altn* —6G **21**
(in two parts)
Chelmarsh Clo. *Chel* —2A **32**
Chelmorton Pl. *Chad* —1H **13**
Chelmsford Clo. *Mick* —6A **10**
Chelsea Clo. *Der* —3D **10**
Chelwood Rd. *Chel* —3H **31**
Chequers La. *Der* —3F **13**
Chequers Rd. *Der* —4E **13** (3H **3**)
Cheriton Clo. *Mick* —4C **18**
Cherrybrook Dri. *Oak* —4F **9**
Cherry Clo. *Breas* —3H **25**
Cherry Tree M. *Chad* —5B **14**
Chertsey Rd. *Mick* —1A **18**
Chesapeake Rd. *Chad* —3B **14**
Cheshire St. *Altn* —6G **21**
Chester Av. *Alst* —2H **7**
Chester Ct. *Spon* —6E **15**
Chesterfield Ho. Spon —5E **15**
(off Arnhem Ter.)
Chesterford Ct. *L'ver* —5D **18**
Chester Grn. Rd. *Der* —2C **12**
(in two parts)
Chesterton Av. *Sun* —4A **20**
Chesterton Rd. *Spon* —3F **15**
Chestnut Av. *Chel* —2H **31**
Chestnut Av. *Der* —1C **20**
Chestnut Av. *Mick* —6B **10**
Chestnut Clo. *Duf* —4B **4**
Chestnut Gro. *Borr* —6A **16**
Chestnut Gro. *Etw* —1B **26**
Cheveley Ct. *Der* —1F **13**
Cheverton Clo. *Alv* —6D **22**
Chevin Av. *Borr* —1A **24**
Chevin Av. *Mick* —1D **18**
Chevin Bank. *Duf* —1A **4**
Chevin Pl. *Der* —2B **12**
Chevin Rd. *Der* —2B **12**
Chevin Rd. *Duf* —1B **4**
Chevin Va. *Duf* —1B **4**
Cheviot St. *Der* —4G **11**
Cheyenne Gdns. *Chad* —4B **14**
Cheyne Wlk. *Der* —3G **11**
Chilson Dri. *Mick* —6A **10**
Chime Clo. *Oak* —5C **8**
Chingford Ct. *Der* —3F **11**
Chinley Rd. *Chad* —6E **9**
Chiswick Clo. *Der* —3D **10**
Christchurch Ct. *Der*
 —3C **12** (2C **2**)
Church Clo. *Chel* —4A **32**
Churchdown Clo. *Oak* —5F **9**
Church Hill. *Etw* —1B **26**
Church Hill. *Spon* —4D **14**
Churchill Clo. *Breas* —3H **25**
Church La. *Bread* —3C **8**
Church La. *Chad* —3A **14**
Church La. *Dar A* —4F **7**
Church La. *Der* —1D **10**
Church La. *L Eat* —6F **5**
Church La. *M'ly* —1G **9**
Church La. N. *Dar A* —4F **7**
Church M. *Spon* —5D **14**
Church Rd. *Quar* —3C **6**
Churchside Wlk. *Der* —5A **12**
Church St. *Alv* —4C **22**
Church St. *Der* —1C **20**
Church St. *Hors* —1H **5**
Church St. *L'ver* —2G **19**
Church St. *Ock* —5A **16**
Church St. *Spon* —5D **14**
Church Vw. *Breas* —4H **25**
Church Wlk. *Alst* —3F **7**
Church Wlk. *Der* —6B **12**
Church Wlk. *Duf* —4C **4**
Church Wilne Water Sports Club.
 —6H **25**
Circle, The. *Sin* —6A **20**
City Rd. *Der* —2C **12** (1D **2**)
City Rd. Ind. Pk. *Der* —2C **12**
Clarence Rd. *Der* —2A **20**
Clarkes La. *Ast T* —5H **33**
Clarke St. *Der* —3D **12** (1F **3**)
Clay St. *Dray* —4A **24**
Cleveland Av. *Chad* —4B **14**
Cleveland Av. *Dray* —4D **24**
Clifford St. *Der* —1F **21**
Clifton Dri. *Mick* —6C **10**

Clifton Rd. *Alst* —4D **6**
Clifton St. *Der* —6E **13**
Clinton St. *Der* —3F **13**
Clipstone Gdns. *Oak* —5F **9**
Clock Way. *Spon* —6F **15**
Clock Yd. *Der* —4A **12**
Cloisters Ct. *Oak* —5D **8**
Close, The. *Dar A* —5F **7**
Close, The. *Der* —1H **19**
Cloudwood Clo. *L'ver* —2F **19**
Clover Clo. *Spon* —4F **15**
Clover Ct. *Shard* —3C **34**
Cloverdale Dri. *Sin* —3B **30**
Clover Slade. *Find* —4A **28**
Cobden St. *Der* —4H **11**
(in three parts)
Cobham Clo. *Sten F* —2H **29**
Cobthorne Dri. *Alst* —3C **6**
Coburn Pl. *Der* —4B **12** (4B **2**)
Cockayne St. N. *Der* —5C **12**
Cockayne St. S. *Altn* —5G **21**
Cock Pitt, The. *Der* —4D **12** (4E **3**)
Cod Beck Clo. *Oak* —5C **8**
Coke St. *Der* —4H **11**
Coldstream Wlk. *Sin* —1A **30**
Cole La. *Ock & Borr* —5A **16**
Coleman St. *Altn* —4G **21**
Coleraine Clo. *Chad* —5B **14**
Coleridge St. *Der* —4B **20**
Coleridge St. *Sun* —6A **20**
(in two parts)
Coliseum Cen. *Der* —5D **12** (5E **3**)
College M. *Der* —4A **12**
College Pl. *Der* —3C **12** (2C **2**)
Collier La. *Ock* —5A **16**
Collingham Gdns. *Der* —4E **11**
Collis Clo. *Altn* —4G **21**
Collumbell Av. *Ock* —4A **16**
Colombo St. *Der* —2D **20**
Coltsfoot Dri. *Sin* —3B **30**
Columbine Clo. *Oak* —6D **8**
Colville St. *Der* —3H **11**
Colwell Dri. *Alv & Boul M* —6C **22**
Colwyn Av. *Der* —2H **19**
Colyear St. *Der* —4C **12** (4C **2**)
Comfrey Clo. *L'ver* —5D **18**
Commerce St. *Der* —4D **12** (4C **2**)
Comn. Piece La. *Find* —4C **28**
Common, The. *Quar*
 —6A **4** (6C **6**)
Compton Av. *Ast T* —5G **33**
Compton Clo. *Alv* —5C **22**
Coniston Av. *Spon* —3E **15**
Coniston Cres. *Der* —5B **8**
Connaught Rd. *Der* —5G **11**
Consett Clo. *Der* —6B **8**
Consort Gdns. *Oak* —4G **9**
Constable Av. *L'ver* —6G **11**
Constable Dri. *L'ver* —1F **19**
Constable La. *L'ver* —1G **19**
Conway Av. *Borr* —1B **24**
Cookham Clo. *Mick* —1A **18**
Co-operative St. *Der* —1B **20**
Coopers Clo. *Borr* —2B **24**
Cooper St. *Der* —3G **11**
Copecastle Sq. *Der*
 —5D **12** (5E **3**)
Cope Clo. *Sin* —6C **20**
Copeland St. *Der* —5D **12** (5E **3**)
Copeland Wlk. *Der* —5D **12** (5E **3**)
Copes Way. *Chad* —1A **14**
Copperleaf Clo. *Der*
 —5B **12** (6A **2**)
Coppice Clo. *Dar A* —6F **7**
Coppicewood Dri. *L'ver* —2E **19**
Copse Gro. *L'ver* —4E **19**
Corbel Clo. *Oak* —5B **8**
Corbridge Gro. *L'ver* —4E **19**
Corby Clo. *Alv* —6H **21**
Corden Av. *Mick* —1E **19**
Corden St. *Der* —1C **20**
Cordville Clo. *Chad* —4B **14**
Corfe Clo. *L'ver* —5H **19**
Coriander Gdns. *L'ver* —1H **29**
Corinium Clo. *Alv* —6D **22**
Cornflower Dri. *Oak* —4E **9**
Cornhill. *Alst* —3E **7**
Corn Mkt. *Der* —4C **12** (3D **2**)

Cornmill Clo. *Boul M* —6D **22**
Cornwall Rd. *Der* —2F **13**
Coronation Av. *Alv* —6C **22**
Coronation St. *Der* —3D **20**
Coronet Ct. *Oak* —4H **9**
Corporation St. *Der*
 —4C **12** (3D **2**)
Cotswold Clo. *L'ver* —3G **19**
Cottisford Clo. *L'ver* —3E **19**
Cotton Brook Rd. *Der* —3D **20**
Cotton La. *Der* —3D **20**
Countisbury Dri. *Oak* —5E **9**
Courtland Dri. *Alv* —5B **22**
Courtland Gdns. *Alv* —4B **22**
Courtland Rd. *Etw* —2B **26**
Court, The. *Alv* —5B **22**
Coverdale Wlk. Alv —5C **22**
(off Elvaston La.)
Covert, The. *Spon* —5E **15**
Cowdray Clo. *Sten F* —3H **29**
Cowley St. *Der* —2A **12**
Cowlishaw Clo. *Shard* —4C **34**
Cowper St. *Der* —6C **20**
Cowsley Rd. *Der* —1F **13**
Coxbench Castle. —3H **5**
Coxbench Rd. *Der* —2H **5**
(in two parts)
Cox Grn. Ct. *Der* —4D **18**
Coxon St. *Spon* —4E **15**
Crabtree Clo. *Alst* —3C **6**
Crabtree Hill. —3C **6**
Crabtree Hill. *L Eat* —6F **5**
Craddock Av. *Spon* —6E **15**
Craiglee Ct. *Sin* —1H **29**
Cranberry Gro. *L'ver* —5D **18**
Cranhill Clo. *L'ver* —5D **18**
Cranmer Rd. *W Mead*
 —4E **13** (3G **3**)
Cranwood Clo. *Altn* —6F **21**
Crawley Rd. *Alv* —6H **21**
Crayford Rd. *Alv* —6A **22**
Crecy Clo. *Der* —6G **11**
Crescent, The. *Alv* —5G **21**
Crescent, The. *Breas* —4G **25**
Crescent, The. *Chad* —4H **13**
Crescent, The. *Ris* —6H **17**
Cressbrook Way. *Oak* —4F **9**
Crest, The. *Dar A* —5E **7**
Crewe St. *Der* —2B **20**
Crewton Way. *Alv* —4H **21**
Crich Av. *L'ver* —1F **19**
Crich Circ. *L'ver* —1G **19**
Cricketers Ct. *L'ver* —3H **19**
Cricklewood Rd. *Der* —3F **11**
Cringle M. *Oak* —5C **8**
Croft Clo. *Ock* —5A **16**
Croft Clo. *Spon* —3F **15**
Croft End. *L Eat* —6F **5**
Crofters Ct. *Oak* —5C **8**
Croft La. *Bread* —4A **8**
Croft, The. *Dray* —5E **25**
Croft, The. *L'ver* —3H **19**
Cromarty Clo. *Sin* —1A **30**
Cromer Clo. *Mick* —2A **18**
Cromford Dri. *Mick* —5C **10**
Cromford Rd. *Chad* —1H **13**
Crompton St. *Der* —5B **12** (5B **2**)
Cromwell Av. *Find* —3B **28**
Cromwell Rd. *Der* —1B **20**
Cropton Clo. *Alv* —5C **22**
Crosby St. *Der* —5H **11**
Cross Clo. *L'ver* —3G **19**
Cross Clo. Wlk. *L'ver* —3G **19**
Crossdale Gro. *Oak* —4G **9**
Cross St. *Der* —3H **11**
Crownland Dri. *Chel* —3A **32**
Crown M. *Der* —6A **12**
Crown St. *Der* —6A **12**
Crown St. *Duf* —2B **4**
Crown Wlk. *Der* —5C **12** (5D **2**)
Crowshaw St. *Der* —3D **20**
Croydon Wlk. *Der* —3D **10**
Cubley Wlk. *Der* —6G **19**
Cuckmere Clo. *Alst* —2H **7**
Cullen Way. *Sin* —3A **30**
Culworth Ct. *Oak* —5F **9**
Cumberhills Rd. *Duf* —4A **4**
Cumberland Av. *Der* —3G **13**

Cumberland Cres. *Borr* —2H **23**
Cumbria Wlk. *Mick* —2A **18**
Cummings St. *Der* —1C **20**
Curborough Dri. *Alv* —5D **22**
Curlew Clo. *Sin* —1H **29**
Curzon Clo. *Alst* —3C **6**
Curzon Ct. *Duf* —3B **4**
Curzon Ct. *Mick* —2B **18**
Curzon La. *Alv* —3A **22**
Curzon La. *Duf* —3A **4**
Curzon Rd. *Chad* —2H **13**
Curzon St. *Der* —4B **12** (4A **2**)
(in two parts)
Cut La. *Der* —2D **12**
Cuttlebrook Clo. *Der* —4A **20**
Cypress Wlk. *Chad* —4B **14**

D

Dahlia Dri. *Oak* —4G **9**
Dairy Ho. Rd. *Der* —2C **20**
Dalbury Wlk. *L'ver* —6G **19**
Dale Clo. *Breas* —3H **25**
Dale Rd. *Alv* —4B **22**
Dale Rd. *Der* —1B **20**
Dale Rd. *Spon & Ock* —4F **15**
Dale Rd. *Stan D* —1H **17**
Dalesgate Clo. *L'ver* —6F **19**
Dalkeith Av. *Alv* —6H **21**
Dalness Ct. *Sin* —2H **29**
Dalton Av. *Der* —6G **11**
Danebridge Cres. *Oak* —6E **9**
Darby St. *Der* —1B **20**
Darley Abbey Dri. *Dar A* —5F **7**
Darley Abbey Mills. *Dar A* —5G **7**
Darley Gro. *Dar A* —6F **7**
Darley Gro. *Der* —1C **12**
Darley La. *Der* —3C **12** (1C **2**)
Darley Pk. Dri. *Der* —6F **7**
Darley Pk. Rd. *Der* —6F **7**
Darley St. *Dar A* —6G **7**
Dartford Pl. *Alv* —6A **22**
Darwin Av. *Altn* —1F **31**
Darwin Pl. *Der* —4D **12** (3E **3**)
Darwin Rd. *Mick* —6C **10**
Darwin Sq. *Der* —5C **12** (5D **2**)
Dashwood St. *Der* —6C **12**
Datchet Clo. *L'ver* —3E **19**
Davenport Rd. *Der* —3E **21**
David's Clo. *Chel* —4H **31**
Dawlish Ct. *Alv* —4C **22**
Dawsmere Clo. *Der* —6B **8**
Daylesford Clo. *L'ver* —3E **19**
Dayton Clo. *Chad* —4C **14**
Dayton Ct. *Der* —1A **12**
Deacon Clo. *Der* —5C **8**
Deadman's La. *Der* —1F **21**
Dean Clo. *L'ver* —1E **19**
Deans Dri. *Borr* —1H **23**
Dean St. *Der* —6A **12**
Deborah Dri. *Chad* —2A **14**
Dee Clo. *Sin* —2A **30**
Deep Dale La. *Sin & Bar T* —3A **30**
Deepdale Rd. *Spon* —6F **15**
Deer Pk. Vw. *Spon* —3F **15**
De Ferrers Clo. *Duf* —3B **4**
Degge St. *Der* —5C **12** (5C **2**)
Deincourt Clo. *Spon* —3G **15**
Delamere Clo. *Breas* —3H **25**
Delamere Clo. *Oak* —6E **9**
Denarth Av. *Shel L* —2G **31**
Denbigh St. *Der* —2G **13**
Denison Gdns. *Chad* —3B **14**
Dennis Clo. *L'ver* —4C **18**
Denstone Dri. *Alv* —1A **32**
Dentdale Ct. Alv —4C **22**
(off Hodge Beck Clo.)
Denver Rd. *Mick* —6B **10**
Depedale Av. *Borr* —6A **16**
Depot St. *Der* —1C **20**
Derby Canal Walkway. *Altn*
 —4G **21**
Derby Canal Walkway. *Chel*
 —3G **31**
Derby Canal Walkway. *Der* —2H **21**
Derby Cathedral. —3C **2**
Derby City Mus. and Art Gallery.
 —3C **2**

Derby County F.C. —6G 13 (Pride Park Stadium)
Derby Gaol. —2A 2
Derby Golf Cen. —6F 15
Derby Golf Course. —1C 30
Derby La. Der —3B 20
Derby Playhouse Theatre. —5D 12 (5E 3)
Derby Regional Swimming Pool. —5E 21
Derby Rd. Ast T —2G 33
Derby Rd. Borr & Dray —2B 24
Derby Rd. Chel —2H 31 (in two parts)
Derby Rd. Cox & L Eat —1G 5
Derby Rd. Der & Stan —4H 9
Derby Rd. Duf —4C 4
Derby Rd. Hilt & Etw —2A 26
Derby Rd. Lwr K & Klbrn —1H 5
Derby Rd. Milf —1B 4
Derby Rd. Ris & Sand —5H 17
Derby Rd. Spon —4B 14
Derbyshire Bus. Development Cen. Der —3F 13
Derbyshire Constabulary Memorabilia Mus. —3C 2
Derbyshire County Cricket Ground. —3E 13 (1G 3)
Derby Small Bus. Cen. Der —6F 3
Derby Southern By-Pass. Der —4A 30
Derby Southern By-Pass. Hilt & Etw —2A 26
Derby Superbowl. —4C 20
Derby Trad. Est. Der —1D 12
Derrington Leys. Alv —5D 22
Derventio Clo. Der —2C 12
Derventio Roman Fort. —1C 12 (site of)
Derwent Av. Alst —3G 7
Derwent Av. Borr —6A 16
Derwent Bus. Cen., The. Der —3D 12 (1E 3)
Derwent Clo. Alst —3G 7
Derwent Ct. Der —4B 12 (4B 2)
Derwent Dri. Sten F —3H 29
Derwent Ho. Der —3E 13 (2H 3)
Derwent Pde. Pri P —6F 13
Derwent Ri. Spon —5F 15
Derwent Rd. Spon —6D 14
Derwent St. Der —4C 12 (3D 2)
Derwent St. Dray —4E 25
Devas Gdns. Spon —4D 14
Devon Clo. Der —2F 13
Devonshire Av. Alst —4F 7
Devonshire Av. Borr —1A 24
Devonshire Dri. Duf —3A 4
Devonshire Dri. Mick —6C 10
Devonshire Wlk. Der —5C 12 (5D 2)
Dewchurch Dri. Sun —6A 20
Dexter St. Der —1E 21
Diamond Dri. Oak —5D 8
Dickens Sq. Der —4B 20
Dickinson St. Der —1F 21
Diseworth Clo. Chel —3H 31
Dodburn Ct. Sin —1H 29
Doles La. Find —2B 28
Dolphin Clo. Spon —3F 15
Donald Hawley Way. Duf —3C 4
Donegal Wlk. Chad —5A 14
Donington Clo. Sun —6H 19
Donington Dri. Sun —6A 20
Donington La. Cas D —6G 35
Dorchester Av. Chad —2G 13
Dorking Rd. Der —3F 11
Dorrien Av. Der —4C 20
Dorset St. Der —3F 13
Douglas St. Der —1D 20
Dove Clo. Mick —6E 11
Dovecote Dri. Borr —1G 23
Dovedale Av. Alv —4C 22
Dovedale Ri. Alst —6D 6
Dovedale Rd. Spon —6F 15
Dovedales, The. Mick —2B 18
Dover Ct. Der —1C 20 (in two parts)
Doveridge Wlk. L'ver —6G 19
Dover St. Der —1C 20
Dower Clo. Dar A —5G 7
Downham Clo. Mick —2C 18
Downing Clo. Der —3D 10
Downing Rd. W Mead —4F 13
Drage St. Der —2D 12
Draycott Dri. Mick —6A 10
Draycott Rd. Borr —2A 24
Draycott Rd. Breas —4G 25
Drayton Av. Der —3D 10
Dresden Clo. Mick —1A 18
Drewry Ct. Der —4A 12
Drewry La. Der —5A 12 (5A 2) (in three parts)
Dreyfus Clo. Spon —4F 15
Drill Hall Cotts. Der —3G 11
Drury Av. Spon —5D 14
Dryden St. Der —5B 20
Drysdale Rd. Mick —6B 10
Duck Island. Duf —3B 4
Duckworth Sq. Der —4C 12 (4C 2)
Duesbury Clo. Altn —4G 21
Duffield Bank. Duf —3D 4
Duffield Ct. Duf —3C 4
Duffield Rd. Dar A & Der —1G 7 (1B 2)
Duffield Rd. L Eat —6E 5
Duffield Rd. Ind. Est. L Eat —1A 8
Dukeries La. Oak —5F 9
Duke St. Der —3C 12 (1D 2)
Duluth Av. Chad —2A 14
Dulverton Av. Sten F —3G 29
Dulwich Rd. Der —3C 10
Dunbar Clo. Sin —3A 30
Duncan Rd. Der —3B 20
Dunedin Clo. Mick —6C 10
Dunkery Ct. Oak —5E 9
Dunkirk. Der —5B 12 (5B 2)
Dunoon Clo. Sin —2A 30
Dunsmore Dri. Oak —5C 8
Dunstall Pk. Rd. Der —3F 21
Dunton Clo. W Mead —4E 13 (3G 3)
Dunvegan Clo. Sten F —3H 29
Durham Av. Der —3G 13
Durley Clo. Alv —4C 22
Durward Clo. Altn —4E 21

Eagle Cen. Der —4C 12 (4D 2)
Ealing Clo. Der —3F 11
Eardley Clo. Chad —4B 14
Earls Cres. Oak —5F 9
Earlswood Clo. Breas —3H 25
Earlswood Dri. Mick —5D 10
East Av. Mick —6B 10
Eastbrae Rd. Sun —4H 19
East Clo. Dar A —5E 7
E. Croft Av. L'ver —6H 19
Eastgate. Der —3D 12 (2F 3) (in two parts)
East Lawn. Find —3B 28
Eastleigh Dri. Mick —1C 18
E. Service Rd. Der —1B 22
East St. Der —4C 12 (4D 2)
Eastwood Av. L'ver —1G 19
Eastwood Dri. L'ver —1G 19
Eaton Av. Alst —2G 7
Eaton Bank. Duf —4D 4
Eaton Clo. Alst —2G 7
Eaton Ct. Der —3A 12
Eaton Ct. Duf —4B 4
Ecclesbourne Av. Duf —3C 4
Ecclesbourne Clo. Duf —3B 4
Edale Av. Alv —4B 22
Edale Av. Der —1A 20
Edale Av. Mick —1B 18
Edale Clo. Alst —6D 6
Edale Dri. Spon —6F 15
Eden Rd. Chad —5A 14
Edensor Sq. Der —5A 12 (6A 2)
Eden St. Alv —3A 22
Edgbaston Ct. L'ver —3G 19
Edge Hill. Chel —2H 31
Edgelaw Ct. Sin —2H 29
Edgware Rd. Der —3D 10
Edinburgh Cres. Altn —1G 31
Edith Wood Clo. Alv —6B 22
Edmund Rd. Spon —6F 15
Edmunds Sq. Mick —4A 18
Ednaston Av. L'ver —6H 19
Edward Av. Chad —4A 14
Edward St. Der —3C 12 (1B 2)
Edwinstowe Rd. Oak —6E 9
Eggesford Rd. Sten F —3H 29
Egginton Rd. Etw —4B 26 (in two parts)
Egmanton Clo. Oak —6F 9
Eland Clo. Spon —3G 15
Eldon Ho. Der —5C 12 (6C 2)
Eley Wlk. Der —5B 12 (6B 2)
Elgin Av. L'ver —3E 19
Eliot Rd. L'ver —3F 19
Elizabeth Clo. Chad —4B 14
Elkstone Clo. Oak —5F 9
Ellastone Gdns. Alv —4B 22
Ellendale Rd. Chad —2B 14
Ellesmere Av. Der —1F 21
Ellison Av. Ast T —6G 33
Elm Gro. Alst —2D 6
Elm Gro. Chad —4B 14
Elm Pk. Ct. Der —2B 12
Elms Av. L'ver —1F 19
Elms Dri. L'ver —2F 19
Elms Farm Way. L'ver —3E 19
Elms Garden. L'ver —2F 19
Elms Gro. Etw —2C 26
Elms St. Der —2B 12
Elm St. Borr —1H 23
Elmtree Av. Der —4D 20
Elmwood Dri. Bread —5A 8
Elton Rd. Der —4D 20
Elvaston Castle Country Pk. & Mus. —4F 23
Elvaston La. Alv —4B 22
Elvaston St. Dray —4F 25
Embankment Clo. Der —2D 10
Emerald Clo. Oak —5D 8
Emerson Sq. Der —5B 20
Empress Rd. Der —6B 12
Endsleigh Gdns. Der —3D 10
Enfield Rd. Der —3F 11
Ennerdale Wlk. Der —5B 8
Ennis Clo. Chad —2C 14
Enoch Stone Dri. Chad —5B 14
Epping Clo. Der —3C 10
Epworth Dri. Alv —1A 32
Eskdale Wlk. Alv —5D 22 (off Whernside Clo.)
Essex St. Der —3F 13
Eton St. Der —2G 21
Etruria Gdns. Der —2C 12
Etta's Way. Etw —1B 26
Ettrick Dri. Sin —3A 30
Etwall By-Pass. Etw —1A 26
Etwall Leisure Cen. —1B 26
Etwall Rd. Egg —5G 27
Etwall Rd. Etw —5B 26
Etwall Rd. Mick —3A 18
Etwall St. Der —4H 11
Euston Dri. Der —2D 12
Evans Av. Alst —2G 7
Evans St. Altn —5G 21
Evanston Gdns. Chad —3B 14
Evelyn Gro. Chad —4A 14
Evergreen Clo. Oak —5E 9
Evesham Clo. Der —6C 8
Excelsior Av. Alv —5H 21
Exchange St. Der —4C 12 (4D 2)
Exeter Ho. Der —4D 12 (3E 3)
Exeter Pl. Der —4D 12 (3E 3)
Exeter St. Der —3D 12 (2E 3)
Eyes Ct. Duf —3B 4 (off Town St.)
Eyrie, The. Sin —3A 30

Fairbourne Dri. Mick —5B 10
Fairdene Ct. Der —1B 20
Faires Clo. Borr —2B 24
Faire St. Der —6A 12
Fairfax Rd. Der —1B 20
Fairfield Av. Borr —6A 16
Fairfield Rd. Der —1A 20
Fairford Gdns. L'ver —5E 19
Fairisle Clo. Oak —4G 9
Fairlawns. Duf —3A 4
Fairview Clo. L'ver —3E 19
Fairway Clo. Alst —5D 6
Fairway Cres. Alst —5D 6
Fairwood Dri. Alv —5D 22
Falcon Way. Sin —3A 30
Fallow Rd. Spon —3F 15
Falmouth Rd. Alv —6C 22
Far Cft. Breas —3H 25
Far La. Ock —4B 16
Farley Rd. Der —1H 19
Farm Dri. Alv —6A 22
Farmhouse M. Find —3B 28
Farmhouse Rd. Sin —3A 30
Farmlands La. L'ver —5F 19
Farm St. Der —5B 12 (6A 2)
Farnborough Gdns. Alst —3H 7
Farncombe La. Oak —5D 8
Farndale Ct. Alv —5C 22
Farneworth Rd. Mick —1B 18
Farnham Clo. Mick —2A 18
Farningham Clo. Spon —4F 15
Farnway. Dar A —5E 7
Farrier Gdns. L'ver —4E 19
Farringdon Clo. Der —3D 10
Faversham Clo. Alv —6H 21
Fellow Lands Way. Chel —3A 32
Fellside. Spon —3F 15
Fenchurch Wlk. Der —3F 11
Fenton Rd. Mick —1A 18
Fenwick St. Der —4F 21
Fernhill Ct. Chel —2A 32
Fernilee Gdns. Chad —6D 8
Fernwood Clo. L'ver —3G 19
Ferrers Cres. Duf —3A 4
Ferrers Way. Der —5E 7
Festival Av. Breas —4G 25
Field Clo. Borr —6H 15
Field Cres. Alv —6A 22
Field Dri. Alv —6A 22
Fieldfare Ct. L'ver —5E 19
Fieldgate Dri. Oak —5D 8
Fld. Head Way. Oak —4F 9
Field La. Alv —5B 22
Field La. Chad —2H 13
Field Ri. L'ver —4G 19
Fieldsway Dri. Der —5C 8
Field Vw. Clo. Alv —1B 32
Fife St. Der —3G 21
Filbert Wlk. Chel —5A 32
Filey Wlk. Der —6B 8
Fincham Clo. Der —6B 8
Finch Cres. Mick —3A 18
Finchley Av. Der —3D 10
Findern Clo. Alst —6D 6
Findern La. Burna —1G 27
Findern St. Der —4H 11
Finmere Clo. L'ver —3E 19
Finningley Dri. Alst —5E 7
Finsbury Av. Der —3F 11
Finsley Wlk. Der —4A 20
Firs Cres. Alst —3E 7
Firtree Gro. Oak —5F 9
Fisher La. Duf —2B 4
Fisher St. Altn —5G 21
Fiskerton Way. Oak —1B 14
Five Lamps. Der —2B 12
Five Lamps Ct. Der —3B 12 (1A 2)
Flamstead St. Altn —5G 21
Flaxholme Av. Duf —5C 4
Fleet St. Der —1C 20
Flint St. Altn —5F 21
Flood St. Ock —5A 16
Florence Ct. Der —5E 13 (6G 3)
Folkestone Dri. Alv —6A 22
Folly Rd. Dar A —6H 7
Ford La. Alst & L Eat —2G 7 (in two parts)
Ford St. Der —4B 12 (3B 2)
Fordwells Clo. L'ver —3E 19
Foremark Av. Der —3A 20
Forester's Leisure Pk. —4C 20
Forester St. Der —5B 12 (5B 2)
Forester's Way. Der —4C 20
Forman St. Der —4B 12 (4B 2)
Forum Clo. Alv —6D 22

Pear Tree Rd. *Der* —1C **20**
Pear Tree St. *Der* —3C **20**
Peckham Gdns. *Der* —4E **11**
Peebles Clo. *Sin* —3A **30**
Peel St. *Der* —3H **11**
Peers Clo. *Oak* —5F **9**
Peet St. *Der* —5A **12**
Peggs Wlk. *Der* —4A **20**
Pegwell Clo. *Sun* —4H **19**
Pelham St. *Der* —5B **12** (6A **2**)
Pembroke St. *Der* —2F **13**
Penalton Clo. *Altn* —5G **21**
Pencroft Gro. *L'ver* —6G **19**
Pendennis Clo. *Alv* —5B **22**
Pendlebury Dri. *Mick* —2C **18**
(in two parts)
Pendleside Way. *L'ver* —4C **18**
Penge Rd. *Der* —2E **11**
Penhaligan's Clo. *Chel* —4H **31**
Penhaligan's Wlk. *Chel* —4H **31**
Pennycress Clo. *L'ver* —4E **19**
Penny Long La. *Der* —1A **12**
Penrhyn Av. *Der* —6G **19**
Penrith Pl. *Der* —5B **8**
Pentagon, The. *Der* —3E **13** (2H **3**)
Pentewan Clo. *Dar A* —5E **7**
Pentland Clo. *Oak* —5E **9**
Penzance Rd. *Alv* —6B **22**
Percy St. *Der* —6A **12**
Peregrine Clo. *Sin* —1H **29**
Perth Clo. *Mick* —5C **10**
Perth St. *Der* —6B **8**
Peter Baines Ind. Est. *Der*
—5B **12** (6B **2**)
Peterborough St. *Der* —1G **13**
Peterhouse Ter. *Der* —1C **20**
Peterlee Pl. *Alv* —6A **22**
Petersham Dri. *Alv* —5C **22**
Peveril Av. *Borr* —1A **24**
Peveril St. *Der* —5F **21**
Pheasant Fld. Dri. *Spon* —3G **15**
Philips Cft. *Duf* —2B **4**
Phoenix St. *Der* —3C **12** (2D **2**)
Pickering Ri. *Der* —6A **8**
Pickford's House Mus.—3A 2
Pilgrims Way. *Sten F* —2G **29**
Pillar Ct. *Mick* —2C **18**
Pimlico. *Der* —2H **11**
Pine Clo. *Chad* —5B **14**
Pine Clo. *Etw* —1C **26**
Pinecroft Ct. *Oak* —6F **9**
Pines, The. *Dray* —4F **25**
Pinfold, The. *Thul* —1F **33**
Pingle. *Alst* —3E **7**
Pinglehill Way. *Chel* —3B **32**
Pingle, The. *Spon* —5E **15**
Pingreaves Dri. *Chel* —3A **32**
Pintail Dri. *Sin* —1H **29**
Pit Clo. La. *Chel* —4A **32**
Pittar St. *Der* —6B **12**
Plackett Clo. *Breas* —3H **25**
Plantain Gdns. *L'ver* —6G **19**
Plimsoll Ct. *Der* —6B **12**
Plimsoll St. *Der* —3G **11**
Ploughfield Clo. *L'ver* —5F **19**
Ploughgate. *Dar A* —5F **7**
Pollards Oaks. *Borr* —2A **24**
Ponsonby Ter. *Der* —4A **12**
Pontefract St. *Der* —4F **21**
Pontypool Clo. *Oak* —5F **9**
Pool Clo. *Boul M* —1C **32**
Poole St. *Altn* —5G **21**
Poplar Av. *Spon* —4E **15**
Poplar Clo. *Alv* —4B **22**
Poplar Nook. *Alst* —3G **7**
Poplar Row. *Dar A* —6G **7**
Poplars, The. *Alst* —3F **7**
Porlock Ct. *Oak* —5E **9**
Porter Rd. *Der* —2A **20**
Porter's La. *Find* —3A **28**
(in two parts)
Porter's La. *Der* —4D **8**
Porthcawl Pl. *Oak* —5G **9**
Portico Rd. *L'ver* —5E **19**
Portland Clo. *Mick* —6D **10**
Portland St. *Der* —2C **20**
Portland St. *Etw* —1B **26**
Portman Chase. *Sten F* —3H **29**

Portreath Dri. *Alst* —3E **7**
Port Way. *Holb & Cox* —1F **5**
Portway Clo. *Alst* —3G **7**
Posey La. *Ast T* —6G **33**
Potato Pit La. *Ilk* —1F **17**
Potter St. *Spon* —5D **14**
Powell St. *Der* —1A **20**
Poyser Av. *Chad* —2A **14**
Prescot Clo. *Mick* —2A **18**
Prestbury Clo. *Oak* —6E **9**
Pride Parkway. *Pri P*
—5D **12** (5G **3**)
Priestland Av. *Spon* —5D **14**
Prime Enterprise Pk. *Der*
—3D **12** (1E **3**)
Prime Ind. Est. *Der* —1E **21**
Prime Parkway. *Der*
—2D **12** (1E **3**)
Primrose Clo. *Oak* —4D **8**
Primula Way. *L'ver* —1H **29**
Prince Charles Av. *Der* —3D **10**
Princes Dri. *L'ver* —1F **19**
Princess Alice Ct. *Der*
—3B **12** (2A **2**)
Princess Dri. *Borr* —1G **23**
Prince's St. *Der* —2C **20**
Priors Barn Clo. *Borr* —1B **24**
Priorway Av. *Borr* —2A **24**
Priorway Gdns. *Borr* —2A **24**
Priory Clo. *Chel* —5A **32**
Priory Gdns. *Oak* —5D **8**
Pritchett Dri. *L'ver* —3C **18**
Provident St. *Der* —1B **20**
Pulborough Gdns. *L'ver* —5E **19**
Pullman Rd. *Der* —5H **13**
Putney Clo. *Der* —4C **10**
Pybus St. *Der* —3H **11**
Pykestone Clo. *Oak* —5D **8**

Quantock Clo. *Sten F* —3H **29**
Quarndon Heights. *Alst* —5C **6**
Quarndon Vw. *Alst* —5C **6**
Quarn Dri. *Alst* —4C **6**
Quarn Gdns. *Der* —2B **12**
Quarn St. *Der* —3B **12**
(in two parts)
Quarn Way. *Der* —3B **12** (1A **2**)
Queen Mary Ct. *Der* —2B **12**
Queensbury Chase. *L'ver* —5E **19**
Queens Ct. *Der* —1A **12**
Queens Ct. *Dray* —4E **25**
Queens Dri. *L'ver* —1G **19**
Queensferry Gdns. *Altn* —1G **31**
Queensland Clo. *Mick* —5C **10**
Queen's Leisure Cen. —2C 2
Queen St. *Der* —3C **12** (2C **2**)
Queen Street Gallery. —2C 2
Queensway. *Der* —2H **11**
Quick Hill Rd. *Sten F* —3H **29**
Quillings Way. *Borr* —2B **24**
Quintyn Rd. *Alv* —3A **22**
Quorn Ri. *Sun* —5A **20**

Rabown Av. *L'ver* —3H **19**
Racecourse Pk. Ind. Est. *Der*
—1E **13**
Radbourne La. *Kirk L & Der*
—4A **10**
Radbourne St. *Der* —3G **11**
Radcliffe Av. *Chad* —2H **13**
Radcliffe Dri. *Der* —6H **11**
Radford St. *Alv* —4H **21**
Radnor St. *Der* —1F **13**
Radstock Gdns. *Der* —6C **8**
Radstone Clo. *Oak* —5F **9**
Raglan Av. *Der* —4G **11**
Railway Ter. *Der* —5E **13** (6G **3**)
Rainham Gdns. *Alv* —4A **22**
Rainier Dri. *Chad* —3A **14**
Raleigh St. *Der* —3G **11**
Ramblers Dri. *Oak* —4G **9**
Ramsdean Clo. *Der* —1F **13**
Ramshaw Way. *Der* —5A **12**
Randolph Rd. *Der* —3B **20**
Ranelagh Gdns. *Der* —2F **11**
Rangemore Clo. *Mick* —5C **10**

Rannoch Clo. *Alst* —4E **7**
Rannoch Clo. *Spon* —4F **15**
Ranworth Clo. *Der* —2F **31**
Rauche Ct. *Der* —6D **12**
Ravenscourt Rd. *Der* —2G **11**
Ravenscroft Dri. *Chad* —3H **13**
Ravensdale Rd. *Alst* —4C **6**
Raven St. *Der* —6A **12**
Rawdon St. *Der* —1B **20**
Rawlinson Av. *Der* —4C **20**
Raynesway. *Der* —3B **22**
Raynesway Pk. *Der* —2B **22**
Raynesway Pk. Dri. *Der* —2B **22**
Reader St. *Spon* —4E **15**
Rebecca St. *Der* —5H **11**
Rebecca Ho. *Der* —4A **12**
Rectory Gdns. *Ast T* —6G **33**
Rectory La. *Breas* —2B **8**
Rectory M. *Ast T* —6G **33**
Rectory Rd. *Breas* —3H **25**
Reculver Clo. *Sun* —4H **19**
Redbury Clo. *Der* —5A **12**
Redcar Gdns. *Der* —4C **10**
Redland Clo. *Sin* —1B **30**
Red La. *Milf* —1D **4**
Redmires Dri. *Chel* —3A **32**
Redruth Pl. *Alv* —6C **22**
Redshaw St. *Der* —2A **12**
Redstart Clo. *Spon* —3F **15**
Redwing Cft. *Der* —4H **19**
Redwood Rd. *Sin* —2A **30**
Reeves Rd. *Der* —2D **20**
Regency Clo. *L'ver* —4H **19**
Regent St. *Der* —6D **12**
Reginald Rd. N. *Chad* —2H **13**
Reginald Rd. S. *Der* —3H **13**
Reginald St. *Der* —1D **20**
Regis Clo. *Oak* —5F **9**
Reigate Dri. *Der* —3D **10**
Renals St. *Der* —6C **12**
Renfrew St. *Der* —2G **13**
Repton Av. *Der* —2H **19**
Retford Clo. *Der* —5B **8**
Rhymney Clo. *Oak* —5G **9**
Ribblesdale Clo. *Alst* —5C **6**
Richardson St. *Der* —3H **11**
Richmond Av. *L'ver* —3G **19**
Richmond Clo. *L'ver* —4E **19**
Richmond Dri. *Duf* —1A **4**
Richmond Rd. *Chad* —3H **13**
Richmond Rd. *Der* —2C **20**
Riddings. *Alst* —3E **7**
Riddings St. *Der* —6B **12**
Ridgeway. *Chel* —5A **32**
Ridgeway Av. *L'ver* —5G **19**
Ridgewood Ct. *Oak* —5C **8**
Ridings, The. *Ock* —3A **16**
Rigga La. *Duf* —4D **4**
Rigsby Ct. *Mick* —6A **10**
Rimsdale Clo. *Sin* —1A **30**
Ringwood Clo. *Chad* —1G **13**
Ripley Ho. *Spon* —6E **15**
Ripon Cres. *Chad* —1G **13**
Risborrow Clo. *Etw* —1E **27**
Rise, The. *Dar A* —5E **7**
Risley La. *Breas* —6H **17**
Rivenhall Clo. *L'ver* —4D **18**
River Pk. Wlk. *Der* —2A **22**
Riverside Gardens.
—4D **12** (3E **3**)
Riverside Rd. *Pri P* —5F **13**
River St. *Der* —3C **12** (1C **2**)
Robert St. *Der* —3D **12** (2E **3**)
Robin Cft. Rd. *Alst* —3E **7**
Robinia Clo. *Oak* —4G **9**
Robin Rd. *Der* —2B **12**
Robins Clo. *Boul M* —6D **22**
Robinscross. *Der* —2H **23**
Robinsons Ind. Est. *Der* —1D **20**
Robson Clo. *Alv* —4A **22**
Rochester Clo. *Alv* —6A **22**
Rochley Clo. *Oak* —5D **8**
Rockbourne Clo. *Alv* —5D **22**
Rockhouse Rd. *Alv* —5A **22**
Rockingham Clo. *Alst* —3G **7**
Rodney Ho. *Der* —5G **21**
Rodney Wlk. *L'ver* —4C **18**
Rodsley Cres. *L'ver* —6H **19**

Roe Farm La. *Der* —2G **13**
Roehampton Dri. *Der* —2E **11**
Roe Wlk. *Der* —1C **20**
Rollerworld. —1E 13
Roman House. —3B 2
Roman Rd. *Der* —2D **12**
Roman Way. *Borr* —2A **24**
Romsley Clo. *Mick* —5B **10**
Rona Clo. *Sin* —1A **30**
Ronald Clo. *L'ver* —4C **18**
Roosevelt Av. *Chad* —3B **14**
Rosamond's Ride. *Der* —3H **19**
Rose Av. *Borr* —2A **24**
Roseberry Ct. *Oak* —6F **9**
Rosedale Av. *Alv* —5A **22**
Roseheath Clo. *Sun* —6A **20**
Rose Hill St. *Der* —1C **20**
Rosemary Dri. *Alv* —6A **22**
Rosemoor La. *Oak* —6F **9**
Rosemount Ct. *Alst* —4C **6**
Rosengrave St. *Der* —5B **12** (6B **2**)
Rosette Ct. *Oak* —4G **9**
Rosewood Clo. *Alv* —4C **22**
Rossington Dri. *L'ver* —5D **18**
Rossington Way. *L'ver* —5D **18**
Rosslyn Gdns. *Alv* —5A **22**
Ross Wlk. *Der* —6B **8**
Rothbury Pl. *Der* —6C **8**
Rothesay Clo. *Sin* —1A **30**
Rothwell Rd. *Mick* —6B **10**
Rough Heanor Rd. *Mick* —6E **11**
Roughton Clo. *Mick* —3B **18**
Roundhouse Rd. *Pri P*
—5E **13** (6H **3**)
Rowan Clo. *Chad* —4B **14**
Rowan Clo. *Sten F* —2H **29**
Rowan Pk. Clo. *Der* —4H **19**
Rowditch Av. *Der* —5H **11**
Rowditch Pl. *Der* —5H **11**
Rowena Clo. *Alv* —4H **21**
Rowland St. *Altn* —5G **21**
Rowley Gdns. *L'ver* —4G **19**
Rowley La. *L'ver* —4G **19**
Rowsley Av. *Der* —3H **19**
Roxburgh Av. *Chad* —2G **13**
Royal Clo. *Borr* —2H **23**
Royal Gro. *Oak* —4H **9**
Royal Hill Rd. *Spon* —3D **14**
(in two parts)
Royal Way. *Pri P* —6G **13**
Roydon Clo. *Mick* —5A **10**
Rudyard Av. *Spon* —3E **15**
Rugby St. *Der* —2G **21**
Rupert Rd. *Chad* —2A **14**
Rushcliffe Av. *Chad* —3H **13**
Rushcliffe Gdns. *Chad* —3H **13**
Rushdale Av. *L'ver* —5H **19**
Rushup Clo. *Alst* —2G **7**
Ruskin Rd. *Der* —2B **12**
Ruskin Way. *L'ver* —3F **19**
Russell St. *Der* —2E **21**
Russet Clo. *Oak* —6F **9**
Rutherford Ri. *Oak* —5D **8**
Rutland Av. *Borr* —1A **24**
Rutland Dri. *Mick* —6C **10**
Rutland St. *Der* —2C **20**
Ryal Clo. *Ock* —4A **16**
Ryan Clo. *Sin* —2A **30**
Rydal Clo. *Alst* —3E **7**
Ryde Ho. *Alv* —4C **22**
Rye Butts. *Chel* —4G **31**
Rye Clo. *Oak* —4D **8**
Ryecroft Rd. *Cas D* —6H **35**
Ryedale Gdns. *L'ver* —6G **19**
Ryegrass Rd. *Oak* —5G **9**
Rykneld Bowling Club. —1H 19
Rykneld Clo. *L'ver* —5C **18**
Rykneld Dri. *L'ver* —4D **18**
Rykneld Ho. *Mick* —6G **11**
Rykneld Rd. *Mick & L'ver* —6B **18**
Rykneld Way. *L'ver* —5C **18**
Rymill Dri. *Oak* —6C **8**

Sacheverel St. *Der*
—5C **12** (6C **2**)
Sackville St. *Der* —3B **20**
Saddleworth Wlk. *Shel L* —2G **31**

Sadler Ga. *Der* —4C **12** (3C **2**)
Sadler Ga. Bri. *Der* —4C **12** (3C **2**)
Saffron Dri. *Oak* —6E **9**
St Agnes Av. *Alst* —3E **7**
St Alban's Rd. *Der* —6G **11**
St Alkmunds Clo. *Duf* —2B **4**
St Alkmund's Way. *Der*
—3B **12** (2B **2**)
St Alkmunds Way. *Duf* —2B **4**
St Andrews Ho. *Der* —6E **13**
St Andrew's Vw. *Der* —5B **8**
St Anne's Clo. *Der* —3A **12**
St Augustine St. *Der* —2B **20**
St Bride's Wlk. *Der* —3F **11**
St Chads Clo. *Dray* —4E **25**
St Chad's Rd. *Der* —1A **20**
St Clares Clo. *Der* —1H **19**
St Cuthbert's Rd. *Der* —6G **11**
St David's Clo. *Der* —6H **11**
St Edmunds Clo. *Alst* —3F **7**
St Giles Rd. *Der* —2B **20**
St Helen's St. *Der* —3B **12** (2B **2**)
St Hugh's Clo. *Der* —5F **7**
St James Ct. *Der* —4A **12**
St James Rd. *Der* —2B **20**
St James's St. *Der* —4C **12** (4C **2**)
St John's Av. *Chad* —4B **14**
St John's Clo. *Alst* —4D **6**
St John's Dri. *Der* —4A **14**
St John's Ter. *Der* —3B **12** (2A **2**)
St Mark's Rd. *Der* —2F **13**
St Mary's Av. *Dray* —4E **25**
St Mary's Bri. *Der* —3C **12** (1D **2**)
St Mary's Clo. *Alv* —5A **22**
St Mary's Ct. *Der* —3C **12** (1C **2**)
St Mary's Ga. *Der* —4C **12** (3C **2**)
St Mary's M. *Der* —3C **12** (1C **2**)
St Mary's Wharf Rd. *Der* —2D **12**
St Matthew's Wlk. *Dar A* —5F **7**
St Mawes Clo. *Alst* —3D **6**
St Mellion Clo. *Mick* —2D **18**
St Michael's Clo. *Alv* —4C **22**
St Michaels La. *Der*
—3C **12** (2C **2**)
St Michaels Vw. Alv —4C 22
(off Branksome Av.)
St Nicholas Clo. *Alst* —5D **6**
St Nicholas M. *Der* —2B **12**
St Nicholas Pl. *Der* —2B **12**
St Osborne St. *Der* —6E **13**
St Pancras Way. *Der* —2D **12**
St Paul's Rd. *Der* —2C **12**
St Peter's Chyd. *Der*
—4C **12** (4C **2**)
St Peter's Rd. *Chel* —4A **32**
St Peter's St. *Der* —4C **12** (4D **2**)
St Peter's Way. *Der* —5C **12** (5D **2**)
St Quentin Clo. *Der* —6G **11**
St Ronan's Av. *Duf* —4B **4**
St Stephens Clo. *Borr* —2H **23**
St Stephen's Clo. *Sun* —5H **19**
St Swithins Clo. *Der* —6H **11**
St Thomas Rd. *Der* —3C **20**
St Werburgh's Chyd. *Der* —3B **2**
St Werburgh's Cloisters. *Der*
—3B **2**
St Werburgh's Vw. *Spon* —4D **14**
St Wystan's Rd. *Der* —6G **11**
Sale St. *Der* —1D **20**
Salisbury St. *Der* —6C **12**
Sallywood Clo. *Sten F* —3H **29**
Saltburn Clo. *Der* —6A **8**
Samantha Ct. *Oak* —6F **9**
Sancroft Ct. *L'ver* —4F **19**
Sancroft Rd. *Spon* —3E **15**
Sandalwood Clo. *Alv* —4C **22**
Sandbach Clo. *Oak* —6B **9**
Sanderson Rd. *Chad* —3B **14**
Sandfield Clo. *Oak* —6F **9**
Sandgate Clo. *Alv* —5A **22**
Sandown Av. *Mick* —6A **10**
Sandown Rd. *Der* —3F **21**
Sandringham Dri. *Spon* —5F **15**
Sandringham Rd. *Der* —6C **8**
Sandyhill Clo. *Etw* —1C **26**
Sandypits La. *Etw* —1C **26**
(in two parts)
Santolina Clo. *Oak* —6D **8**

Sapperton Clo. *L'ver* —6H **19**
Saundersfoot Clo. *Oak* —5F **9**
Save Penny La. *Duf* —2D **4**
Sawley Rd. *Breas* —4H **25**
Sawley Rd. *Dray* —4F **25**
Saxondale Av. *Mick* —5A **10**
Scarborough Ri. *Der* —6A **8**
Scarcliffe Clo. *Shel L* —2G **31**
Scarsdale Av. *Alst* —4C **6**
Scarsdale Av. *L'ver* —1G **19**
Scarsdale Rd. *Duf* —3B **4**
School La. *Chel* —4A **32**
Scott St. *Der* —2B **20**
Scropton Wlk. *Shel L* —2G **31**
Seagrave Clo. *Oak* —1B **14**
Seale St. *Der* —2C **12**
Searl St. *Der* —3B **12** (2A **2**)
Seascale Clo. *Der* —6B **8**
Seaton Clo. *Mick* —6A **10**
Second Av. *Chel* —5A **32**
Sedgebrook Clo. *Oak* —5D **8**
Sedgefield Grn. *Mick* —2A **18**
Sefton Rd. *Chad* —3H **13**
Selbourne Dri. *Der* —1F **21**
Selkirk St. *Der* —2G **11**
Selworthy Clo. *Oak* —5E **9**
Selwyn St. *Der* —3G **11**
Serina Av. *Der* —3H **19**
Settlement, The. *Ock* —4A **16**
Sevenlands Dri. *Boul M* —1C **32**
Sevenoaks Av. *Der* —4D **10**
Severn St. *Der* —3H **21**
Severnvale Clo. *Alst* —2H **7**
Seymour Clo. *Der* —3G **11**
Shacklecross Clo. *Borr* —2A **24**
Shaftesbury Cres. *Der* —2D **20**
Shaftesbury Sports Cen. —2D 20
Shaftesbury St. *Der* —2E **21**
Shaftesbury St. S. *Der* —3D **20**
Shakespeare St. *Sin* —6B **20**
Shaldon Dri. *L'ver* —2H **19**
Shalfleet Dri. *Alv* —5C **22**
Shamrock St. *Der* —2A **20**
Shandwick Ct. *Sin* —2H **29**
Shanklin Ho. *Alv* —4C **22**
Shannon Clo. *Sun* —5H **19**
Shannon Sq. *Chad* —5B **14**
Shardlow Heritage Cen. —4E 35
Shardlow Rd. *Alv* —4B **22**
Shardlow Rd. *Ast T* —6H **33**
Shaws Grn. *Der* —3H **11**
Shaw St. *Der* —3A **12**
Shearwater Clo. *Der* —4H **19**
Sheffield Pl. *Der* —5E **13** (6G **3**)
Sheldon Ct. *Shel L* —2G **31**
Shelford Clo. *Mick* —6A **10**
Shelley Dri. *Sin* —6C **20**
Shelmory Clo. *Altn* —6G **21**
Shelton Dri. *Shel L* —2G **31**
Shenington Way. *Oak* —5F **9**
Shepherd St. *L'ver* —2G **19**
Sheridan St. *Sin* —6B **20**
Sherston Clo. *Oak* —5F **9**
Sherwin Sports Cen. —3D 20
Sherwin St. *Der* —1A **12**
Sherwood Av. *Borr* —1B **24**
Sherwood Av. *Chad* —2H **13**
Sherwood Av. *L'ver* —6H **19**
Sherwood St. *Der* —6A **12**
Shetland Clo. *Der* —2E **13**
Shipley Wlk. *Shel L* —2G **31**
Shireoaks Clo. *L'ver* —4G **19**
Shirland Ct. *Shel L* —2G **31**
Shirley Cres. *Breas* —3H **25**
Shirley Pk. *Ast T* —6H **33**
Shirley Rd. *Chad* —6D **8**
Shop Stones. *Ock* —4A **16**
Short Av. *Alst* —2F **7**
Shorwell Gdns. *Alv* —6C **22**
Shottle Wlk. *Der* —1A **12**
Shrewsbury Clo. *Oak* —5F **9**
Shropshire Av. *Der* —2G **13**
Siddals La. *Alst* —3F **7**
Siddals Rd. *Der* —4D **12** (4E **3**)
Siddons St. *Alv* —4A **22**
Sidings, The. *Der* —5A **14**
Sidmouth Clo. *Alv* —4C **22**
Sidney Ho. *Der* —2G **19**

Sidney St. *Der* —6D **12**
Silverburn Dri. *Oak* —5D **8**
Silver Hill Rd. *Der* —1C **20**
Silverhill Rd. *Spon* —6E **15**
Silver La. *Thul* —6F **23**
Silverton Dri. *Sten F* —3G **29**
Silvey Gro. *Spon* —5D **14**
Simcoe Leys. *Chel* —3H **31**
Simon Wlk. *Sten F* —2G **29**
Simpson St. *Altn* —5G **21**
Sims Av. *Der* —4A **12**
Sinclair Clo. *Sin* —1A **30**
Sinfin Av. *Shel L* —1F **31**
Sinfin Central Ind. Pk. *Sin* —6B **20**
Sinfin District Cen. *Sin* —2A **30**
Sinfin Fields Cres. *Altn* —6F **21**
Sinfin La. *Sin & Der* —1B **30**
Sinfin La. Ind. Est. *Sin* —6B **20**
Sinfin Moor La. *Sin & Chel*
(in two parts) —2B **30**
Sinfin Moor Pk. —2C 30
Sir Francis Ley Ind. Est. *Der*
—2D **20**
Sir Frank Whittle Rd. *Der*
—1E **13** (1G **3**)
Siskin Clo. *Mick* —4A **18**
Siskin Dri. *Sin* —1H **29**
Sisters La. *Ock* —4A **16**
Sitwell Clo. *Spon* —5D **14**
Sitwell St. *Der* —5C **12** (5D **2**)
Sitwell St. *Spon* —5D **14**
Skiddaw Dri. *Mick* —2C **18**
Skipton Grn. *Der* —6A **8**
Skylark Way. *Sin* —1H **29**
Slack La. *Dar A* —5F **7**
Slack La. *Der* —4H **11**
Slade Clo. *Etw* —1C **26**
Sladelands Dri. *Chel* —4A **32**
Slaidburn Clo. *Mick* —2C **18**
Slaney Clo. *Altn* —4G **21**
Slater Av. *Der* —4A **12**
Sledmere Clo. *Alv* —4C **22**
Slindon Cft. *Alv* —5D **22**
Sloane Rd. *Der* —3E **11**
Smalley Dri. *Oak* —4F **9**
Small Meer Clo. *Chel* —4G **31**
Smisby Way. *Shel L* —2G **31**
Snake La. *Der* —3A **4**
Snelsmoor La. *Chel* —4B **32**
Snelston Cres. *L'ver* —1H **19**
Society Pl. *Der* —1C **20**
Solway Clo. *Oak* —5E **9**
Somerby Way. *Oak* —5D **8**
Somersal Clo. *Shel L* —2F **31**
Somerset St. *Der* —2F **13**
Somme Rd. *Alst* —4B **6**
South Av. *Chel* —2H **31**
South Av. *Dar A* —4G **7**
South Av. *Spon* —5E **15**
S. Brae Clo. *L'ver* —4H **19**
South Ct. *Mick* —2B **18**
Southcroft. *L'ver* —6H **19**
S. Down Clo. *Sten F* —3G **29**
South Dri. *Chad* —4A **14**
South Dri. *Chel* —2H **31**
South Dri. *Der* —2B **12**
South Dri. *Mick* —1E **19**
Southgate Clo. *Mick* —6A **10**
Southmead Way. *Der* —6F **11**
South St. *Der* —4A **12**
South St. *Dray* —4E **25**
South Vw. *Der* —2G **19**
Southwark Clo. *Der* —4F **11**
Southwood St. *Der* —3H **21**
Sovereign Way. *Oak* —4G **9**
Sowter Rd. *Der* —3C **12** (2D **2**)
Spa La. *Der* —6B **12** (6B **2**)
Sparrow Clo. *Sin* —1H **29**
Speedwell Clo. *Oak* —4G **9**
Spenbeck Dri. *Alst* —2G **7**
Spencer Av. *Altn* —1F **31**
Spencer St. *Der* —3A **22**
Spindletree Dri. *Oak* —5C **8**
Spinney Clo. *Dar A* —5G **7**
Spinney Rd. *Chad* —2H **13**
Spinney Rd. *Der* —6A **12**
Spinney, The. *Borr* —2A **24**

Spoonley Wood Ct. *L'ver* —4D **18**
Sports Cen. —5F 21
(Derby)
Spot, The. *Der* —5C **12** (5D **2**)
Spring Clo. *Breas* —3G **25**
Springdale Ct. *Mick* —2C **18**
Springfield. *L'ver* —1F **19**
Springfield Dri. *Dur* —3A **4**
Springfield Rd. *Chad* —4B **14**
Springfield Rd. *Chel* —3G **31**
Springfield Rd. *Etw* —2B **26**
Spring Gdns. *Chad* —2H **13**
Spring St. *Der* —5B **12** (6A **2**)
Springwood Dri. *Oak* —5E **9**
Springwood Leisure Cen. —5E 9
Square, The. *Der* —6G **7**
Square, The. *Mick* —2B **18**
Squires Way. *L'ver* —4E **19**
Stables St. *Der* —4H **11**
Stadium Vw. *Pri P* —6G **13**
Stadmoor Clo. *Chel* —4H **31**
Stafford St. *Der* —4B **12** (4A **2**)
Staines Clo. *Mick* —1A **18**
Staithes Wlk. *Der* —6A **8**
Staker La. *Mick* —6B **18**
Staker Way. *Mick* —4B **18**
Stamford St. *Altn* —5F **21**
Stanage Grn. *Mick* —1D **18**
Stanhope Rd. *Mick* —6C **10**
Stanhope St. *Der* —1B **20**
Stanier Way. *Chad* —6A **14**
Stanley Clo. *Der* —1B **12**
Stanley Rd. *Alv* —5G **21**
Stanley Rd. *Chad* —4A **14**
Stanley St. *Der* —4H **11**
Stanstead Rd. *Mick* —6A **10**
Stanton St. *Der* —2B **20**
Starcross Ct. *Mick* —6A **10**
Statham St. *Der* —2A **12**
Station App. *Der* —4D **12** (4F **3**)
(in two parts)
Station App. *Der* —4H **31**
Station Clo. *Chel* —4H **31**
Station Rd. *Borr* —2H **23**
Station Rd. *Bread* —3B **8**
Station Rd. *Chel* —4H **31**
Station Rd. *Dray* —4F **25**
Station Rd. *Duf* —2C **4**
Station Rd. *H'ton* —1G **35**
Station Rd. *L Eat* —6F **5**
Station Rd. *Mick* —1B **18**
Station Rd. *Spon* —6D **14**
Staunton Av. *Sun* —5A **20**
Staveley Clo. *Shel L* —2G **31**
Staverton Dri. *Mick* —6A **10**
Steeple Clo. *Oak* —5C **8**
Stenson Av. *Sun* —5A **20**
Stenson Rd. *Sten F & Der* —5F **29**
Stephensons Way. *Chad* —6A **14**
Stepping Clo. *Der* —4A **12**
Stepping La. *Der* —4H **11**
Sterndale Ho. *Der* —5C **12** (5C **2**)
Stevenage Clo. *Alv* —6H **21**
Steven's La. *Breas* —3H **25**
Stevenson Av. *Breas* —3F **25**
Stevenson Pl. *L'ver* —3F **19**
Stewart Clo. *Spon* —3E **15**
Stiles Rd. *Alv* —4B **22**
Stiles Wlk. *Duf* —2B **4**
Stirling Clo. *Der* —1E **13**
Stockbrook Rd. *Der* —6H **11**
Stockbrook St. *Der* —5A **12** (6A **2**)
Stockdove Clo. *Sin* —1H **29**
Stocker Av. *Alv* —4C **22**
Stonebroom Wlk. *Shel L* —2G **31**
Stonechat Clo. *Mick* —1E **19**
Stone Clo. *Spon* —3E **15**
Stonehill Rd. *Der* —1B **20**
Stonesby Clo. *Oak* —5D **8**
Stonesdale Ct. *Alv* —5C **22**
Stoney Cross. *Spon* —6E **15**
Stoney Cross Ind. Pk. *Spon*
—6D **15**
Stoney Flatts Cres. *Chad* —1A **14**
Stoney Ga. Rd. *Spon* —6D **14**
Stoneyhurst Ct. *Shel L* —2G **31**
Stoney La. *Spon* —4E **15**
Stoodley Pike Gdns. *Alst* —5C **6**

Stores Rd. *Der* —1D **12** (1F **3**)
Storm Extreme Sports Cen.
    —2E **21**
Stornoway Clo. *Sin* —2H **29**
Stourport Dri. *Chel* —2A **32**
Stowmarket Dri. *Der* —6B **8**
Strand. *Der* —4C **12** (3C **2**)
Strand Arc. *Der* —4C **12** (3C **2**)
Stratford Rd. *Der* —5B **8**
Strathaven Ct. *Spon* —4E **15**
Strathmore Av. *Alv* —5H **21**
Streatham Rd. *Der* —3E **11**
Stretton Clo. *Mick* —2B **18**
Stroma Clo. *Sin* —1B **30**
Strutt St. *Der* —1C **20**
Stuart St. *Der* —3C **12** (2D **2**)
Sturges La. *Thul* —1F **33**
Sudbury Clo. *Der* —4A **12**
Sudbury St. *Der* —4A **12**
Suffolk Av. *Der* —2G **13**
Sulleys Fld. *Quar* —6D **6**
Summerbrook Ct. *Der*
    —5A **12** (6A **2**)
Summers Ct. *Spon* —5D **14**
Summer Wood Ct. *Der* —4H **19**
Sunart Clo. *Sin* —3B **30**
Sundew Clo. *Spon* —5F **15**
Sundown Av. *L'ver* —5H **19**
Sunflower Clo. *Alv* —2A **22**
Sunningdale Av. *Spon* —4D **14**
Sunny Gro. *Chad* —4A **14**
Sunnyhill Av. *Der* —5A **20**
Sun St. *Der* —5B **12** (6A **2**)
Surbiton Clo. *Der* —3E **11**
Surrey St. *Der* —3H **11**
Sussex Cir. *Der* —1G **13**
Sutherland Rd. *Der* —2B **20**
Sutton Av. *Chel* —2H **31**
Sutton Clo. *Der* —3H **11**
Sutton Dri. *Stel L* —1G **31**
Sutton Ho. *Alv* —6C **22**
Swaledale Ct. *Alv* —5C **22**
Swallow Clo. *Mick* —1E **19**
Swallowdale Rd. *Sin* —1H **29**
Swanmore Rd. *L'ver* —3E **19**
Swanwick Gdns. *Chad* —6D **8**
Swarkestone Dri. *L'ver* —6G **19**
Swarkestone Rd. *Chel* —4H **31**
Swayfield Clo. *Mick* —1A **18**
Sweetbriar Clo. *Alv* —6A **22**
Swift Clo. *Mick* —6E **11**
Swinburne St. *Der* —6C **12**
Swinderby Dri. *Oak* —6F **9**
Swinscoe Ho. *Der* —5B **12** (5C **2**)
Sycamore Av. *Alst* —4D **6**
Sycamore Av. *Find* —4B **28**
Sycamore Clo. *Etw* —1C **26**
Sycamore Ct. *Spon* —4E **15**
Sydenham Rd. *Der* —2E **11**
Sydney Clo. *Mick* —6D **10**
Sydney Rd. *Dray* —4E **25**

Taddington Clo. *Chad* —1G **13**
Taddington Rd. *Chad* —6C **8**
Talbot St. *Der* —4B **12** (4A **2**)
Talgarth Clo. *Oak* —5G **9**
Tamar Av. *Alst* —3D **6**
Tamworth Ri. *Duf* —2B **4**
Tamworth Rd. *Cas D & Shard*
  (in two parts) —6G **35**
Tamworth Rd. *Shard* —5H **35**
Tamworth St. *Duf* —2B **4**
Tamworth Ter. *Duf* —2B **4**
Tansley Ri. *Chad* —6D **8**
Taplow Clo. *Mick* —1A **18**
Tarina Clo. *Der* —4A **32**
Tasman Clo. *Mick* —6D **10**
Taunton Clo. *Alv* —4C **22**
Taverners Cres. *L'ver* —3G **19**
Tavistock Clo. *Sten F* —2H **29**
Tawny Way. *L'ver* —4E **19**
Tay Clo. *Sten F* —3H **29**
Taylor St. *Der* —1F **21**
Tayside Clo. *Sten F* —2H **29**
Tay Wlk. *Alst* —4E **7**
Tedworth Av. *Sten F* —3H **29**
Telford Clo. *Mick* —2C **18**

Templar Clo. *Sten F* —2G **29**
Templebell Clo. *L'ver* —5E **19**
Temple St. *Der* —6C **12**
Tenant St. *Der* —4C **12** (3D **2**)
Tenby Dri. *Oak* —4G **9**
Tennessee Rd. *Chad* —2A **14**
Tennyson St. *Der* —4F **21**
Terry Pl. *Alv* —5H **21**
Teviot Pl. *Oak* —5E **9**
Tewkesbury Cres. *Der* —1F **13**
Thackeray St. *Sin* —6C **20**
Thames Clo. *Der* —4D **10**
Thanet Dri. *Alv* —5A **22**
Thatch Clo. *Der* —5F **7**
Theatre Wlk. *Der* —4D **12** (4E **3**)
Thirlmere Av. *Alst* —4E **7**
Thirsk Pl. *Der* —4F **21**
Thistledown Clo. *Dar A* —5G **7**
Thoresby Clo. *Oak* —6F **9**
Thoresby Cres. *Dray* —4D **24**
Thorn Clo. *Alst* —3D **6**
Thorndike Av. *Alv* —4H **21**
Thorndon Clo. *Mick* —3B **18**
Thorness Clo. *Alv* —6C **22**
Thornhill Rd. *Der* —5G **11**
Thornhill Rd. *L'ver* —2G **19**
Thorn St. *Der* —1B **20**
Thorntree La. *Der* —4C **12** (4D **2**)
Thorpe Dri. *Mick* —6C **10**
Thorpelands Dri. *Alst* —6E **7**
Thrushton Clo. *Find* —4A **28**
Thruxton Clo. *Alv* —5C **22**
Thurcroft Clo. *Der* —3G **11**
Thurlow Ct. *Oak* —6E **9**
Thurrows Way. *Chel* —3B **32**
Thurstone Furlong. *Chel* —3G **31**
Thyme Clo. *L'ver* —6H **19**
Tiber Clo. *Alv* —6D **22**
Tickham Av. *Sten F* —3H **29**
Ticknall Wlk. *Der* —5A **20**
Tideswell Rd. *Chad* —6D **8**
Tilbury Pl. *Alv* —6A **22**
Tiller Clo. *L'ver* —5F **19**
Timbersbrook Clo. *Oak* —6E **9**
Timsbury Ct. *Oak* —5C **8**
Tintagel Dri. *Der* —1D **20**
Tiree Clo. *Sin* —1B **30**
Tissington Dri. *Oak* —4F **9**
Tiverton Clo. *Mick* —5B **10**
Tivoli Gdns. *Der* —2A **12**
Toad La. *Der* —4G **5**
Tobermory Way. *Sin* —2H **29**
Tomlinson Ct. *Der* —4H **21**
Tomlinson Ind. Est. *Der* —5H **7**
Tonbridge Dri. *Alv* —6A **22**
Topley Gdns. *Chad* —5D **8**
Top Mnr. Clo. *Ock* —4A **16**
Torridon Clo. *Sin* —1A **30**
Tower St. *Der* —4F **21**
Towle Clo. *Borr* —2H **23**
Town End Rd. *Dray* —4F **25**
Townsend Clo. *Der* —3A **32**
Town St. *Duf* —3B **4**
Town, The. *L Eat* —6F **5**
Traffic St. *Der* —5D **12** (6E **3**)
Trafford Way. *L'ver* —3G **19**
Tredegar Dri. *Oak* —5F **9**
Tregaron Clo. *Der* —5G **9**
Tregony Way. *Sten F* —2H **29**
Trent Bri. Ct. *L'ver* —3G **19**
Trent Clo. *Sten F* —3H **29**
Trent Dri. *L'ver* —5H **19**
Trenton Dri. *Chad* —3B **14**
Trenton Grn. *Chad* —3B **14**
Trent Ri. *Spon* —5H **15**
Trent St. *Alv* —4A **22**
Tresillian Clo. *Dar A* —5E **7**
Treveris Clo. *Spon* —5F **15**
Trevone Ct. *Alv* —6C **22**
Trinity St. *Der* —5D **12** (6F **3**)
Trocadero Ct. *Der* —6C **12**
Troon Clo. *L'ver* —3E **19**
Troutbeck Gro. *L'ver* —4E **19**
Trowbridge Clo. *Oak* —5C **8**
Trowels La. *Der* —5G **11**
Truro Cres. *Chad* —1G **13**
Trusley Gdns. *L'ver* —6H **19**
Tudor Fld. Clo. *Chel* —4A **32**

Tudor Rd. *Chad* —3A **14**
Tufnell Gdns. *Der* —2F **11**
Tulla Clo. *Sten F* —3A **30**
Tuphall Clo. *Chel* —3A **32**
Turner's Almshouses. *Der* —3H **11**
Turner St. *Altn* —5G **21**
Tuxford Clo. *Oak* —6F **9**
Tweedsmuir Clo. *Oak* —5D **8**
Twickenham Dri. *Der* —3E **11**
Twin Oaks Clo. *L'ver* —4D **18**
Twyford St. *Der* —6C **12**
Tynedale Chase. *Sten F* —3G **29**
Tynefield M. *Etw* —3B **26**

UCI Cinemas. —6A **8**
Uffa Magna. *Mick* —2B **18**
Ullswater Clo. *Der* —5B **8**
Ullswater Dri. *Spon* —3E **15**
Underhill Av. *Der* —4B **20**
Underhill Clo. *Der* —5A **20**
Underpass, The. *Der*
    —3D **12** (2E **3**)
Upchurch Clo. *Mick* —6A **10**
Uplands Av. *L'ver* —5G **19**
Uplands Gdns. *Der* —1A **20**
Up. Bainbrigge St. *Der* —1B **20**
Up. Boundary Rd. *Der* —5A **12**
Up. Dale Rd. *Der* —2B **20**
Up. Hollow. *L'ver* —2G **19**
Up. Moor Rd. *Altn* —5G **21**
Uttoxeter New Rd. *Der*
    —6F **11** (4A **2**)
Uttoxeter Old Rd. *Der* —5H **11**
Uttoxeter Rd. *Mick* —2B **18**

Vale Mills. *Der* —6B **12**
Valerie Rd. *Ast T* —6F **33**
Vale St. *Der* —1C **20**
Valley Rd. *Chad* —3B **14**
Valley Rd. *L'ver* —2H **19**
Vancouver Av. *Spon* —6D **14**
Varley St. *Der* —4F **21**
Vauxhall Av. *Der* —2E **11**
Ventnor Ho. *Alv* —4C **22**
Verbena Dri. *L'ver* —1H **29**
Vermont Dri. *Chad* —3C **14**
Vernon Dri. *Spon* —5F **15**
Vernon Ga. *Der* —4A **12**
  (in two parts)
Vernon St. *Der* —4A **12**
Vestry Rd. *Oak* —5C **8**
Vetchfield Clo. *Sin* —3B **30**
Vicarage Av. *Der* —1A **20**
Vicarage Ct. *Mick* —2B **18**
Vicarage Dri. *Chad* —2A **14**
Vicarage La. *Duf* —2B **4**
Vicarage La. *L Eat* —6E **5**
Vicarage Rd. *Chel* —3H **31**
Vicarage Rd. *Mick* —1A **18**
Vicarwood Av. *Dar A* —6F **7**
Victor Av. *Der* —1B **12**
Victoria Av. *Borr* —1H **23**
Victoria Av. *Dray* —4E **25**
Victoria Cen. East. —3B **12** (2B **2**)
  (off Willow Row)
Victoria Clo. *Mick* —5C **10**
Victoria Rd. *Dray* —4E **25**
Victoria St. *Der* —4C **12** (4C **2**)
Victory Rd. *Der* —4D **20**
Village St. *Der* —3A **20**
Villa St. *Dray* —4F **25**
Vincent Av. *Spon* —6E **15**
Vincent St. *Der* —2B **20**
Vine Clo. *L'ver* —4F **19**
Viola Clo. *Oak* —4G **9**
Violet St. *Der* —2B **20**
Vivian St. *Der* —1D **12**
Vulcan St. *Der* —2D **20**

Wade Av. *L'ver* —1G **19**
Wadebridge Gro. *Alv* —6C **22**
Wade Dri. *Mick* —1C **18**
Wade St. *L'ver* —2G **19**
Wagtail Clo. *Sin* —1H **29**
Wakami Cres. *Chel* —2A **32**

Wakelyn Clo. *Shard* —4D **34**
Walbrook Rd. *Der* —2B **20**
Waldene Dri. *Alv* —5A **22**
  (in two parts)
Waldorf Av. *Alv* —4A **22**
Waldorf Clo. *Alv* —4A **22**
Walk Clo. *Dray* —4E **25**
Walker Bldgs. *Chel* —4A **32**
Walker La. *Der* —3B **12** (2B **2**)
Walk, The. *Der* —6A **20**
Wallace St. *Der* —4G **11**
Wallfields Clo. *Find* —2B **28**
Wallis Clo. *Dray* —4E **25**
Walnut Av. *Alv* —4B **22**
Walnut Clo. *Ast T* —5H **33**
Walnut Clo. *Chel* —5A **32**
Walnut St. *Der* —4E **21**
Walpole St. *Der* —3F **13**
Walsham Ct. *Der* —6B **8**
Walter St. *Der* —2A **12**
Walter St. *Dray* —3D **24**
Waltham Av. *Sin* —1B **30**
Walthamstow Dri. *Der* —3F **11**
Walton Av. *Altn* —1G **31**
Walton Dri. *Der* —4A **20**
Walton Rd. *Chad* —4H **13**
Wansfell Clo. *Mick* —2C **18**
Wardlow Av. *Chad* —1A **14**
Ward's La. *Breas* —3H **25**
Ward St. *Der* —7A **12**
Wardwick. *Der* —4C **12** (3B **2**)
Warner St. *Der* —6B **12**
Warner St. *Mick* —2B **18**
Warrendale Ct. *Chel* —3A **32**
Warren St. *Der* —3H **21**
Warwick Av. *Der* —2H **19**
Warwick St. *Der* —1F **21**
Washington Av. *Chad* —2B **14**
  (in two parts)
Washington Cotts. *Borr* —2B **23**
Waterford Dri. *Chad* —5A **14**
Watergo La. *Mick* —4B **18**
Waterloo Ct. *Der* —2D **12**
Watermeadow Rd. *Alv* —6A **22**
Waterside Clo. *Dar A* —5G **7**
Watson Gdns. *Der* —3B **12** (1A **2**)
Watson St. *Der* —2A **12**
  (in two parts)
Watten Clo. *Sin* —3B **30**
Waveney Clo. *Alst* —2H **7**
Waverley St. *Der* —4E **21**
Wayfaring Rd. *Oak* —6E **9**
Wayzgoose Dri. *Der*
    —3E **13** (2H **3**)
Weavers Clo. *Borr* —2B **24**
Weavers Grn. *Mick* —2A **18**
Webster St. *Der* —5B **12** (6B **2**)
Weirfield Rd. *Dar A* —5G **7**
Welbeck Gro. *Alst* —4C **6**
Welland Clo. *Mick* —5B **10**
Wellesley Av. *Sun* —4H **19**
Wellington Cres. *Der*
    —5D **12** (6G **3**)
Wellington St. *Der* —6D **12** (6F **3**)
Wells Ct. *Der* —4C **18**
Wells Rd. *Mick* —1C **18**
Well St. *Der* —2C **12**
Welney Clo. *Mick* —3B **18**
Welshpool Rd. *Der* —6B **8**
Welwyn Av. *Alst* —4D **6**
Welwyn Av. *Shel L* —1G **31**
Wembley Gdns. *Der* —3E **11**
Wendover Clo. *Mick* —2A **18**
Wenlock Clo. *Mick* —2C **18**
Wensleydale Wlk. *Alv* —4C **22**
Wensley Dri. *Spon* —6F **15**
Wentworth Clo. *Mick* —2D **18**
Werburgh Clo. *Spon* —5D **14**
Werburgh St. *Der* —5B **12** (5A **2**)
Wesley La. *Ock* —4A **16**
Wesley Rd. *Alv* —6B **22**
Wessington M. *Alst* —6E **7**
West Av. *Der* —3B **12** (1A **2**)
West Av. *Dray* —3D **24**
West Av. N. *Chel* —3G **31**
West Av. S. *Chel* —3G **31**
W. Bank Av. *Der* —1A **12**
W. Bank Clo. *Der* —1A **12**

W. Bank Rd. *Alst*—2E **7**
Westbourne Pk. *Der*—3D **10**
Westbury Ct. *Der*—6A **12**
Westbury St. *Der*—6H **11**
West Clo. *Dar A*—5E **7**
W. Croft Av. *L'ver*—6H **19**
Westdene Av. *Altn*—6F **21**
West Dri. *Mick*—1A **18**
W. End Dri. *Shard*—4C **34**
Western Rd. *Der*—6B **12**
Western Rd. *Mick*—1B **18**
Westgreen Av. *Altn*—6F **21**
West Gro. *Altn*—6F **21**
Westhall Rd. *Mick*—6B **10**
West Lawn. *Find*—3B **28**
Westleigh Av. *Der*—3G **11**
Westley Cres. *L Eat*—4G **5**
W. Meadows Ind. Est. *Der* —4E **13** (3G **3**)
Westminster St. *Der*—3H **21**
Westmorland Clo. *Der* —3E **13** (1H **3**)
Weston Ct. *Shel L*—2F **31**
Weston Pk. Av. *Shel L*—2F **31**
Weston Pk. Gdns. *Shel L*—2F **31**
Weston Ri. *Chel*—5A **32**
Weston Rd. *Wstn T & Ast T* —1F **33**
W. Park Rd. *Der*—1A **12**
West Rd. *Spon*—4D **14**
West Row. *Dar A*—6G **7**
W. Service Rd. *Der*—1A **22**
W. View Av. *L'ver*—4F **19**
Westwood Dri. *Altn*—6F **21**
Wetherby Rd. *Der*—4F **21**
Weyacres. *Borr*—2A **24**
Wharfedale Clo. *Alst*—3H **7**
Wharf, The. *Shard*—4E **35**
(in two parts)
Whateley Ct. *Nun*—4E **19**
Wheatcroft Way. *Der*—5A **8**
Wheathill Gro. *L'ver*—5E **19**
Wheatland Clo. *Sten F*—3G **29**
Wheatsheaf Clo. *Oak*—5G **9**
Wheeldon Av. *Der*—2A **12**
Wheeldon Mnr. *Der*—1A **12**
Wheelwright Way. *Pri P*—6F **13**
Whenby Clo. *Mick*—1A **18**
Whernside Clo. *Alv*—5D **22**
Whinbush Av. *Altn*—6G **21**
Whiston St. *Der*—1C **20**
Whitaker Gdns. *Der*—1A **20**
Whitaker Rd. *Der*—1H **19**
Whitaker St. *Der*—1C **20**
Whitby Av. *Der*—6A **8**
Whitecross Gdns. *Der*—2A **12**
Whitecross Ho. *Der*—2A **12**
Whitehouse Clo. *Shel L*—2F **31**
Whitehurst St. *Altn*—4F **21**
White St. *Der*—2A **12**
Whiteway. *Dar A*—5E **7**
Whitmore Rd. *Chad*—3H **13**
Whitstable Clo. *Der*—4H **19**
Whittaker La. *L Eat*—4D **4**
(in two parts)
Whittington St. *Altn*—6F **21**
Whittlebury Dri. *L'ver*—4D **18**
Whitwell Gdns. *Alv*—6C **22**
Whyteleafe Gro. *Oak*—6F **9**
Wickersley Clo. *Alst*—5E **7**
Widdybank Clo. *Alst*—5C **6**
Wigmore Clo. *Mick*—6A **10**
Wildsmith St. *Der*—3A **22**
Wild St. *Der*—4H **11**
Wilfred St. *Der*—1D **20**
Wilkins Dri. *Altn*—4G **21**
Willesden Av. *Der*—2E **11**
Willetts Rd. *Chad*—2A **14**
William St. *Der*—3B **12** (1A **2**)
Willington La. *Egg*—6G **27**
Willington Rd. *Etw*—1B **26**
Willington Rd. *Find*—6A **28**
Willn St. *Der*—2B **20**
Willowbrook Grange. *Chel*—4A **32**
Willow Clo. *Ast T*—5H **33**
Willow Clo. *Dar A*—5F **7**
Willow Cft. *Boul M*—1C **32**
Willowcroft Rd. *Spon*—6D **14**
Willow Farm Ct. *Find*—3B **28**
Willowherb Clo. *Sin*—3B **30**
Willow Ho. *Der*—3E **13** (2H **3**)
Willow Pk. La. *Ast T*—6G **33**
Willow Pk. Way. *Ast T*—6G **33**
Willow Row. *Der*—3B **12** (2B **2**)
(in two parts)
Willowsend Clo. *Find*—4B **28**
Willow Sports Cen. —2B 2
Willson Av. *L'ver*—3G **19**
Willson Rd. *L'ver*—4G **19**
Wilmington Av. *Alv*—6B **22**
Wilmore Rd. *Der*—6C **20**
Wilmorton Link. *Der*—1G **21**
Wilmot Av. *Chad*—4H **13**
Wilmot St. *Der*—5C **12** (6C **2**)
Wilmslow Dri. *Oak*—6E **9**
Wilne La. *Dray & Long E*—1G **35**
Wilne La. *Shard*—4E **35**
Wilne Rd. *Dray*—5E **25**
Wilson Clo. *Mick*—3A **18**
Wilson Rd. *Chad*—1H **13**
Wilson St. *Der*—5B **12** (5B **2**)
Wilsthorpe Rd. *Chad*—2H **13**
Wilton Clo. *Sten F*—3G **29**
Wiltra Gro. *Duf*—3C **4**
Wiltshire Rd. *Der*—1F **13**
Wimbledon Rd. *Der*—3E **11**
Wimbourne Clo. *Chel*—4A **32**
Wimpole Gdns. *Der*—3F **11**
Wincanton Clo. *Der*—2F **21**
Winchcombe Way. *Oak*—5E **9**
Winchester Cres. *Chad*—1F **13**
Windermere Cres. *Alst*—4E **7**
Windermere Dri. *Spon*—4E **15**
Windley Cres. *Dar A*—6F **7**
Windmill Clo. *Boul M*—1D **32**
Windmill Clo. *Ock*—4A **16**
Windmill Hill La. *Der*—3G **11**
Windmill Hill Wlk. *Der*—4C **10**
Windmill Rd. *Etw*—2B **26**
Windrush Clo. *Alst*—2H **7**
Windsor Av. *L'ver*—3F **19**
Windsor Clo. *Borr*—2A **24**
Windsor Ct. *Mick*—6B **10**
Windsor Dri. *Spon*—3F **15**
Windy La. *L Eat*—5F **5**
Wingerworth Pk. Rd. *Spon* —4E **15**
Wingfield Dri. *Chad*—6D **8**
Winslow Grn. *Chad*—3C **14**
Winster Rd. *Chad*—6C **8**
Wintergreen Dri. *L'ver*—5D **18**
Wirksworth Rd. *Duf*—3A **4**
Wisgreaves Rd. *Der*—3H **21**
Witham Dri. *L'ver*—5H **19**
Witney Clo. *Der*—3E **21**
Witton Ct. *Sten F*—2H **29**
Woburn Pl. *Der*—4F **11**
Wolfa St. *Der*—5B **12** (5A **2**)
Wollaton Rd. *Chad*—1H **13**
Wollaton Rd. N. *Chad*—6D **8**
Wolverley Grange. *Alv*—5D **22**
Woodale Clo. *L'ver*—5D **18**
Woodbeck Ct. *Oak*—5F **9**
Woodbridge Clo. *Chel*—4G **31**
Woodchester Dri. *Alv*—5D **22**
Woodcote Way. *L'ver*—4E **19**
Wood Cft. *L'ver*—3H **19**
Woodford Rd. *Der*—2E **11**
Woodgate Dri. *Chel*—4A **32**
Woodhall Dri. *L'ver*—3C **18**
Woodhurst Clo. *Der*—1F **13**
Woodland Av. *Borr*—1A **24**
Woodland Rd. *Der*—1A **12**
Woodlands Av. *Shel L*—1G **31**
Woodlands Clo. *L Eat*—6E **5**
Woodlands La. *Chel*—5A **32**
Woodlands La. *Quar*—1D **6**
Woodlands Pk. *Dray*—1F **25**
Woodlands Rd. *Alst*—2E **7**
Woodlands Yd. *Chel*—5B **32**
Woodlea Gro. *L Eat*—5F **5**
Woodminton Dri. *Chel*—2H **31**
Woodrising Clo. *Oak*—4F **9**
Wood Rd. *Chad*—6D **8**
Wood Rd. *Spon*—3G **15**
Woodroffe Wlk. *Der*—4A **20**
Woodside Dri. *Alst*—3G **7**
Woods La. *Der*—6B **12** (6B **2**)
Woods Mdw. *Boul M*—6D **22**
Woodsorrel Dri. *Oak*—4F **9**
Woodstock Clo. *Alst*—3D **6**
Wood St. *Der*—3D **12** (1E **3**)
Woodthorne Av. *Shel L*—1G **31**
Woodthorpe Av. *Chad*—3H **13**
Woodwards Clo. *Borr*—2B **24**
Woolrych St. *Der*—1B **20**
Worcester Cres. *Der*—1F **13**
Wordsworth Av. *Sin*—6A **20**
Wordsworth Dri. *Sin*—6C **20**
Wragley Way. *Sten F*—3G **29**
Wren Pk. Clo. *Find*—4B **28**
Wretham Clo. *Mick*—3B **18**
Wroxham Clo. *Shel L*—1F **31**
Wyaston Clo. *Alst*—6E **7**
Wye St. *Alv*—3A **22**
Wyndham St. *Alv*—4A **22**
Wynton Av. *Alv*—3H **21**
Wyvern Bus. Pk. *Chad*—6A **14**
Wyvern Retail Pk. *Der*—5A **14**
Wyvern Way. *Chad*—5H **13**

Yarmouth Ho. Alv—4C 22
(off Durley Clo.)
Yarrow Clo. *Sin*—3A **30**
Yarwell Clo. *Der*—6B **8**
Yates Av. *Ast T*—6G **33**
Yates Dri. *Der*—2C **20**
Yates St. *Der*—2C **20**
Yeovil Clo. *Alv*—4C **22**
Yewdale Gro. *Oak*—4F **9**
Yews Dri. *Chel*—4A **32**
Yew Tree Av. *Ock*—4B **16**
Yew Tree Clo. *Alv*—4C **22**
Yew Tree La. *Thul*—1F **33**
York Bri. *Der*—5E **13** (5G **3**)
York Rd. *Chad*—2H **13**
York St. *Der*—4A **12**
Youlgreave Clo. *Chad*—6D **8**
Young St. *Der*—2B **20**
Ypres Rd. *Alst*—5C **6**

Zetland Cres. *Sten F*—3G **29**